MEDO CLÁSSICO

Tradução para a língua portuguesa
© Jana Bianchi, 2021

OUTRAS VIAGENS NO TEMPO
© 2021 Aline Valek, Felipe Castilho,
Ana Rüsche, Braulio Tavares

Ilustrações de Miolo
© Pedro Franz, 2021

Diretor Editorial
Christiano Menezes

Diretor Comercial
Chico de Assis

Diretor de Novos Negócios
Marcel Souto Maior

Diretor de Mkt e Operações
Mike Ribera

Diretora de Estratégia Editorial
Raquel Moritz

Gerente Comercial
Fernando Madeira

Gerente de Marca
Arthur Moraes

Gerentes Editoriais
Bruno Dorigatti
Marcia Heloisa

Capa e Projeto Gráfico
Retina 78

Coordenador de Arte
Eldon Oliveira

Coordenador de Diagramação
Sergio Chaves

Designer Assistente
Thales Lira

Preparação
Monique D'Orazio

Revisão
Lauren Nascimento
Retina Conteúdo

Finalização
Roberto Geronimo
Sandro Tagliamento

Impressão e Acabamento
Braspor

DADOS INTERNACIONAIS DE CATALOGAÇÃO NA PUBLICAÇÃO (CIP)
Jéssica de Oliveira Molinari - CRB-8/9852

Wells, Herbert George
  A máquina do tempo / Herbert George Wells ; tradução de Jana Bianchi ;
ilustrações de Pedro Franz. — Rio de Janeiro : DarkSide Books, 2021.
  208 p. : il.

  Título original: The time machine
  ISBN: 978-65-5598-123-0

  1. Ficção inglesa 2. Ficção científica
  I. Título II. Bianchi, Jana III. Franz, Pedro

21-2289   CDD 820.08

        Índices para catálogo sistemático:
              1. Ficção inglesa

[2021, 2024]
Todos os direitos desta edição reservados à
DarkSide® *Entretenimento* LTDA.
Rua General Roca, 935/504 — Tijuca
20521-071 — Rio de Janeiro — RJ — Brasil
www.darksidebooks.com

H. G. Wells
A Máquina do Tempo

Organização
Enéias Tavares

Tradução
Jana Bianchi

Ilustrações
Pedro Franz

DARKSIDE

9. INTRODUÇÃO

A Máquina do Tempo

28.

Wells

....

Outras Viagens No Tempo:

148. IRMÃS ARANHAS
Aline Valek

160. H.G.W. AGÊNCIA DE VIAGENS
Felipe Castilho

174. MERGULHO NO AZUL CINTILANTE
Ana Rüsche

188. O MANUSCRITO GAÉLICO
Braulio Tavares

198. A LINHA DO TEMPO DA OBRA

202. BIOGRAFIA DOS EXPLORADORES TEMPORAIS

INTRODUÇÃO

Voltando no Tempo
Avançando na História

VI

Há apenas quatro dimensões,
Três que nomeamos de Planos do Espaço
E uma quarta... o Tempo.

O painel eletrônico um tanto ultrapassado – para não dizermos improvisado, com seus fios à mostra e faíscas de curto-circuito – nos chama. O carro cujas portas abrem para cima nos faz sorrir e aceitar o convite. Respiramos fundo, revisamos nosso objetivo e apertamos os dedos da mão esquerda ao redor da direção de metal revestido de couro. Com a outra mão digitamos a data. 21 de setembro. De 1866, 1966 ou então de 2066? Como voltar meros cinquenta anos é pouco e avançar ao futuro é perigoso demais, sobretudo a partir de 2021, acionamos a primeira opção. Damos a partida no carro, pisamos fundo e vemos, perplexos, o raio cortar o céu. O resto... é história.

Para viajantes do tempo como nós – experientes pilotos de De-Loreans e TARDIS ou desavisados passageiros de naves espaciais e ministérios temporais –, a ideia de fazer os ponteiros de um relógio retroceder, a fenda cósmica se abrir e o tempo inverter seu curso não é novidade alguma. Ao contrário: para muitos leitores, espectadores e aventureiros, viagens no tempo há muito são uma evidente realidade, senão física – isso até onde sabemos, claro –, então imaginativa.

Nos séculos XX e XXI, vários autores utilizaram tal premissa, investigando-a e revirando-a dos mais variados modos e a partir das mais realistas ou insólitas maquinarias tecnológicas. À lista mais consolidada de autores que trabalharam com o gênero – como Isaac Asimov, Stephen King, Douglas Adams, Madeleine L'Engle, Philip K. Dick, Arthur C. Clarke, Pierre Boulle, Richard Matheson, K. W. Jeter, Lauren Beukes, Ursula K. Le Guin, J. J. Benítez, Ray Bradbury e Michael Crichton – somam-se nomes mais recentes, como Diana Gabaldon, Octavia E. Butler, Rysa Walker, Blake Crouch, Mo Daviau, Audrey Niffenegger, Claire North e Julie Cross.

Essa multiplicação de viajantes temporais – e inventores narrativos – dialoga com o incontável número de filmes e obras televisivas que exploraram o tema: *Doctor Who* (1963), *Star Trek* (1966), *O Planeta dos Macacos* (1971), *Em algum lugar do passado* (1980), *O Exterminador do Futuro* (1984), *De volta para o Futuro* (1985), *Bill e Ted* (1991), *Feitiço do Tempo* (1993), *Stargate* (1994), *Doze Macacos* (1996), *O Som do Trovão* (2005), *Meia-Noite em Paris* (2011), *Looper* (2012), *No Limite do Amanhã* (2014) e *O Ministério do Tempo* (2015). O ecletismo dessas histórias vai de alteração do presente e do futuro, busca psicológica, drama romântico, paradoxo político e medo apocalíptico até os limites da sanidade e da crise existencial.

Todavia, se ajustarmos nosso dispositivo temporal para décadas no passado, chegaremos a um momento quando essa simples ideia não havia sequer sido cogitada. Foi necessário que um autor de transição, um explorador de limiares, sempre nas linhas limítrofes – dos séculos e também dos estratos sociais e gêneros narrativos – desse o primeiro passo. Nesse caso, um jovem escritor inglês nascido de pais humildes e educado em bibliotecas nobres chamado Herbert

George. Você deve conhecê-lo pelas iniciais e o sobrenome, numa alcunha que se tornou ano após ano sinônimo de sua primeira grande criação, uma insólita máquina de exploração temporal que nunca mais abandonou a mente de críticos, cientistas e leitores. No fim do manuscrito de *A Máquina do Tempo* – ou seria no início? –, seu nome seria assinado como H. G. Wells.

V

Eu era um campo de batalha
de medo e curiosidade.

Viajar no tempo é algo perigoso. Livros, quadrinhos, filmes e séries televisivas já nos alertaram de seus riscos. Podemos alterar o passado, impedir o nascimento de uma importante personalidade – ou monstruosidade – histórica, desviar o curso natural ou social das coisas, implodindo impérios ou dando luz a inusitados novos países, ou ainda, para nos ater ao seu espaço privado, impedir que seu pai conheça sua mãe ou então matar inadvertidamente seu próprio avô, anulando assim seu próprio nascimento.

Em outra via, porém, tais viagens podem constituir jornadas de advertência que sinalizam "Cuidado" ou "Perigo". Viajamos ao futuro ou ao passado para salvar o presente da guerra atômica, do desastre ecológico ou então da involução da espécie. Nesse caso, não há muito o que fazer, exceto mudar a própria biologia. Mas a sinalização é clara e a advertência óbvia: a tênue linha cronológica do universo é frágil e pode facilmente ser rompida, desgastada, deturpada.

Mas deixemos de lado esses avisos, essas sinalizações endereçadas a sábios condutores, e nos joguemos no exercício de Ícaros, Satãs, Frankensteins ou simples leitores, todos bravos exploradores do desconhecido e intrépidos protagonistas de suas próprias aventuras. O dispositivo espaço-temporal que descansava sobre a mesa agora está entre nossos dedos, com nossos olhos explorando seu brilho dourado. Nós o manipulamos, como adoramos manipular ponteiros de relógio ou então ampulhetas de metal, madeira ou quartzo. Voltemos alguns pares de décadas, em direção a tempos menos selvagens que os nossos – mas não menos perigosos – a uma terra distante conhecida no Velho Mundo como uma poderosa nação e sua atemporal capital.

Estamos em Londres, em 1866, mais precisamente em 21 de setembro. O mundo externo é sóbrio, estratificado e repleto de portentos que se anunciam como o futuro do Império. Com o isolamento da França e da Alemanha após as Guerras Napoleônicas da primeira metade do séc. XIX, os ingleses vivem tempos de relativa calmaria, com a rainha Vitória no poder há quase três décadas e a Inglaterra se estabelecendo nos campos do comércio, da indústria e da política. Tudo isso, porém, à custa de uma população marginalizada e encerrada em fábricas fumegantes cuja fuligem dará à capital sua alcunha nevoenta e soturna, mais que apropriada à galeria de monstros ficcionais que nasceriam nos anos seguintes, com especial ênfase a médicos monstruosos, imortais dissolutos e condes estrangeiros sedentos de sangue.

No mundo privado do casal Joseph e Sarah Wells, contudo, as coisas eram diferentes. Ela, uma empregada doméstica dedicada. Ele, um jardineiro empreendedor e um tanto aventureiro. Sendo agraciados com uma pequena herança, compraram uma loja de porcelanas que lhes valeu uma pequena, porém bem-vinda, ascendência social, mas nada que chegasse a garantir aos filhos qualquer futuro. Naquela Inglaterra do ontem, a perspectiva de mobilidade social para crianças nascidas nas classes mais baixas era pequena, senão desprezível. Quanto ao quarto filho, o pequeno Herbert não possuía nem mesmo a esperança de herdar o negócio familiar.

É nesse cenário pouco promissor que o jovem e insatisfeito explorador cresce, acompanhando sua mãe na limpeza de nobres casas enquanto seu pai, entre biscates e sonhos, tentava a sorte como jogador serviçal em Clubes de Críquete. Havia algo de diferente no jovem Herbert, porém, algo que o distanciava de outros garotos de sua idade que, diante das condições dadas pelo mundo, teriam desprezado qualquer oportunidade de educação formal ou crescimento individual, alimentando com isso um compreensível ressentimento de classe. Enquanto sua mãe lustrava o chão de mogno e tirava pó do estatuário antigo, o jovem passava as horas na biblioteca dos patrões, folheando imperiosas enciclopédias, devorando páginas antes desconhecidas, encontrando heróis e mestres do passado. Talvez ali, o desejo de viajar no tempo tenha se instalado, fazendo-o desejar o retorno e o embate com a história passada ou então a antevisão de um futuro utópico ou distópico.

Essas horas de viagens e explorações duraram até 1877, quando um acidente imobilizou seu pai e fez com que Herbert tivesse o mesmo destino de seus irmãos, sendo alocado como jovem aprendiz numa loja de tecidos. Longe dos pais, submetido a um pequeno quarto de fundos e agraciado com um salário desprezível como o de qualquer servo, sua sorte estava selada. Nem tempo nem livros nem fugas pelo tempo imaginativo haveriam se ele, como tantos similares, aceitasse sua sina ou destino. Em 1833, sua mãe passou a trabalhar em Sussex, numa suntuosa mansão conhecida como Uppark Mannor. Nas ocasionais visitas que o filho lhe fazia, o menino voltava ao tempo de leituras e sonhos. Para ele, o contato com outros jovens era menos importante. Na biblioteca, entre enciclopédias, ficções e poemas, sempre havia descobertas e sempre havia tempo. Sempre o tempo.

No mesmo ano, desafiando sua sorte, Herbert abandonou a profissão contábil ao conseguir a vaga de professor numa escola primária. Ele aproveitou a oportunidade para estudar e aprimorar a articulação discursiva e o conhecimento científico. Foi esse período que lhe garantiu uma bolsa para estudar no Imperial College, de Londres, onde veio a conhecer o darwinista Thomas Henry Huxley. Todas essas experiências – as visitas à mãe (e à biblioteca) em Uppark Mannor, o ofício como professor de escola primária e a entrada no Imperial College – forjaram no jovem viajante um poderoso senso de inadequação social e repúdio à desigualdade de classe, temas que ele levaria para sua literatura, tanto a especulativa quanto aquela voltada mais diretamente à crítica social, temas que forjariam seu ativismo futuro e sua própria rotina, da manhã à noite, da juventude à velhice.

O tempo passou e seus vinte e poucos anos não foram destituídos de revezes. Sua inaptidão por geologia – infelizmente não compensado por sua fascinação por física, biologia e literatura – o reprovou nos exames e o fez perder a bolsa e a formatura. Em 1891, Wells casou-se com a prima, Mary, e em 1894 fugiu com a amante, Amy Catherine. Um ano depois, casavam-se. Amy seria a mãe de seus dois filhos, George Philip e Frank Richard. Foi nesse momento fulcral de seu amadurecimento, tendo agora que lidar com as responsabilidades de homem casado e pai de dois filhos, que Wells encontrou seu grande talento: a escrita. Mas antes de jogar-se no turbulento meio literário daqueles anos, era necessário entender aqueles tempos tumultuados, tempos que nada tinham em comum com o passado.

Nas décadas finais do século XIX, com o barateamento do preço do papel, o aumento significativo de massas alfabetizadas e a ampliação do turno de trabalho com o surgimento da luz elétrica, um novo tipo de literatura nasceu. Ela não privilegiaria classes abastadas, temas psicológicos complexos ou mesmo aprofundamentos estilísticos. Antes, valorizava histórias cuja narrativa era direta e dramática, personagens cujos conflitos eram mais de suspense e aventura e uma linguagem cuja construção era destituída de grandes experimentações. O próprio Wells falaria desse novo tipo de "literatura democrática", vaticinando que sua tríplice fragilidade estaria em sua natureza "vociferante", temas "estridentes" e "gramática descuidada".

Além de edições mais baratas e bibliotecas circulantes que tornavam os livros mais acessíveis a classes trabalhadoras letradas – uma classe média que começava a se formar e que estava longe dos trabalhadores braçais, da indústria ou das residências mais ricas –, essa ampliação dos públicos leitores deu origem às revistas populares, com destaque para *Pall Mall Gazette*, *The Strand Magazine* e *Lippincott's Monthlly*, para citarmos apenas três. Esta última revelaria ao público de língua inglesa, tanto nos EUA quanto na Inglaterra, nomes como Arthur Conan Doyle, Oscar Wilde, Rudyard Kipling e Anthony Trollope.

Nesse cenário de múltiplas oportunidades e espaços de publicação, Wells intuía que a sua própria literatura seria direcionada não aos trabalhadores das fábricas mas à classe de escriturários, secretárias e comerciantes que buscariam na literatura popular enredos instigantes e sugestivos, além de convites à reflexão e à transformação social. Foi nesse contexto que sua primeira obra surgiu, uma primeira obra de gênio que lhe garantiu renome imediato e uma perspectiva de futuro que nunca vivenciara antes. Tal obra tinha a ver com tempo passado e com tempo futuro, um tempo que seria incrivelmente transposto por meio de uma singular máquina vitoriana.

IV

Nossa verdadeira nacionalidade é a espécie humana.

Hoje, Wells é considerado um dos criadores do gênero que seria conhecido como Ficção Científica. Todavia, quando visitamos os anos que precedem a publicação de sua ilustre obra de estreia, a situação era bem diferente, com esse gênero nem mesmo tendo sido "nomeado". Ele o seria apenas em 1929 por Hugo Gernsback (1884-1967) na hoje clássica *Amazing Stories*, importante publicação dedicada ao fantástico. Antes disso, o que se tinha eram as "viagens extraordinárias" de Julio Verne (1828-1905) e os "romances científicos", esses associados a Wells.

Em 1818, Mary Shelley (1797-1851) já havia usado um tema científico popular, o galvanismo, para explorar a possibilidade ficcional da ressureição de mortos por parte do seu "Moderno Prometeu", um Victor Frankenstein que assume a *persona* trágica do cientista disposto a tudo pela oportunidade de criar vida, numa ilustração justa do pensamento iluminista do início do século e de seus resultados sombrios.

Em França, Julio Verne fez o mesmo, usando seus livros para extrapolar os limites da ciência e dos inventos de seus dias, mas sempre em chave positiva e um tanto utópica. Diferente de Shelley, seus romances são muito mais um otimista convite ao futuro do que um aviso dos riscos de ousados empreendimentos científicos. Explorando as profundezas frias do mar, o núcleo cáustico terrestre, a geografia irregular das nações e até as brilhantes – e não tão distantes – estrelas, Verne desconfia mais do humano do que de sua tecnologia, essa sempre descrita e embasada nos manuais científicos do período. Não seria à toa que Verne aludiria à literatura de Wells com desdém, um autor bem mais jovem que ele.

O autor de *A Máquina do Tempo* nunca esteve interessado no mesmo expediente de Verne e aproximar esses dois autores como pais da ficção científica do século XX é um tanto impreciso, senão errôneo, mesmo quando se parte da dicotomia "positiva evolutiva" associada ao escritor francês e "negativa involutiva" relacionada ao inglês. A ênfase e o interesse de Wells estariam, desde suas primeiras experimentações, na crítica social disfarçada de ficção fantástica, levemente envernizada com jargões acadêmicos e debates científicos, algo perfeitamente ilustrado no primeiro capítulo de seu primeiro livro. Sua formação e interesses permitiram, assim, criar um pastiche de hipotéticos debates teóricos, que em pouco ou nada teriam relação com a ciência de fato. Brian Stableford, no revelador ensaio "Ficção científica antes do gênero", afirma que o "exercício imaginativo" de Wells

> tem pouco em comum com as modestas extrapolações de tecnologia locomotiva de Julio Verne, como o próprio autor francês rapidamente reconheceria e reclamaria. Wells nunca se deu ao trabalho de fazer *A Máquina do Tempo* parecer plausível para leitores interessados porque ele não esperava que tomassem essa noção como uma possibilidade real. Ele sabia quão necessários tais dispositivos se tornariam como meios de abrir o futuro ao escrutínio especulativo sério. Assim, sua máquina do tempo se tornou o primeiro de uma série de dispositivos facilitadores para o tempo e o espaço serem acessados pela inquirição racional, busca que anteriormente tinha sido severamente prejudicada por depender de estruturas narrativas obsoletas. (2003, p. 24)

Ilustra a recepção dessa nova abordagem a opinião de que, da perspectiva acadêmica e científica, Wells "mente". Ao menos era essa a visão de Verne, conhecido pelo rigor com que montava suas histórias a partir de elementos inspirados na realidade. Wells, diferentemente, queria ir mais longe. Na verdade, em suas histórias a ciência não passava de pretexto de ambientação ou de atmosfera para outras explorações: humanas, filosóficas, políticas e sociais, ou então, nas palavras de Stableford, "escrutínio especulativo sério". Em vista disso, a Wells interessava menos detalhes técnicos – embora ele domine como poucos seu linguajar, vide a abertura um tanto hermética do seu *A Máquina do Tempo* – , antes, seu objetivo é explorar potencialidades sociais e psicológicas a partir de certas hipóteses ficcionais.

Em seu primeiro experimento romanesco, a surpresa inicial é justamente essa. A pessoa que o lê desavisada é jogada em um debate vivaz e aparentemente complexo sobre as dimensões que formam o espaço e o tempo e a possibilidade de viajar através deles, não apenas respeitando a força da gravidade e a temporalidade das células humanas como também os movimentos solares e terrestres. Dessa reunião de pretensos cientistas debatendo as noções correntes sobre a Quarta Dimensão, Wells avança – em velocidade narrativa e ficcional inegáveis – à construção da máquina temporal e a sua utilização prática, permitindo a seu protagonista explorar tanto anos e décadas futuras quanto milênios e eras cósmicas. O inominado personagem, tratado apenas como o "viajante do tempo", é um protagonista racional ao extremo, bem diferente do típico herói oitocentista avassalado por grandes sentimentos e aguilhões sensoriais. Antes, é um cartógrafo um tanto desapaixonado do futuro, um analista hipotético de estruturas sociais, organizacionais e mentais.

E aqui fazemos um adendo ao viajante-leitor, indiferente de ser uma hábil exploradora temporal ou então um astronauta recém-iniciado. Para não entediarmos apreciadores experientes da trama de Wells ou estragarmos a experiência dos que aqui estão se aventurando pela primeira vez, vamos resumir o enredo de forma a não entregar os principais eventos da narrativa. O romance abre com ingleses educados que se reúnem semanalmente para debater ciência, sociedade e costumes, até um deles revelar ao grupo suas experiências temporais após a invenção de uma suntuosa maquinaria que lhe permite explorar não o espaço e sim o tempo.

Após dois capítulos narrados por um desses visitantes, a narrativa é então assumida por esse aventureiro, que contará aos interlocutores – e a nós, leitores – o que observou no ano de 802.701. Travando contato com seres de tamanho reduzido, pacíficos e belos chamados

Elóis, o explorar desvenda seus costumes e prazeres e reflete sobre sua linguagem. A narrativa avança e uma ameaça se revela: outros seres, criaturas subterrâneas monstruosas que vivem entre túneis e maquinários antigos, surgem na superfície. Esses *Morloques* possuem hábitos alimentares que o viajante não demora a descobrir, preso como está no futuro sem poder retornar ao presente, assim como os leitores acorrentados à narrativa de Wells. Dizer mais sobre o conflito principal da trama ou das relações entre as duas espécies dessa terra futura e sobre o barbarismo que as definem seria prejudicial a muitas das surpresas deste livro.

Mas é justamente aqui, no olhar arguto desse narrador analista que detalha suas percepções sobre *Elóis* e *Morloques*, que o ensaísta crítico se revela. Wells parece construir sua trama sobre dois eixos. O primeiro é simplesmente ficcional e oferta aos leitores um enredo de aventura tenso e contumaz, à medida que acompanhamos, capítulo a capítulo, as agruras vivenciadas por seu herói inventor. O segundo eixo, porém, permite ler o romance como um tratado social, no qual a nobreza inglesa e a classe trabalhadora são recriadas num alegórico construto ficcional que serve de alerta e de convite à reflexão sobre os perigos da crescente estratificação social vista e vivida pelo próprio autor − notem que Wells, assim como o viajante do tempo, vê-se apartado tanto de *Elóis* quanto de *Morloques*.

Do ponto de vista alegórico, como em toda a trama dessa natureza, as identificações possíveis são inúmeras: ricos e pobres, industriais e trabalhadores, artistas e mecanicistas, sentimentais e racionais, nobres e artesãos, intelectuais e serviçais. Inúmeras *e* imprecisas, obviamente, pois Wells deseja muito mais nos convidar à formulação de perguntas do que sugerir qualquer resposta ou avaliação moral definitiva. Publicado em 1895, *A Máquina do Tempo* permitia tanto uma exploração do porvir quanto um registro do presente de seu autor, como sempre acontece com qualquer história, seja ela romance histórico ou ficção futurista.

Em sua carreira posterior, Wells ofertaria a seus leitores o mesmo tipo de referenciação cruzada, opondo trama fantástica à reflexão social, como são os casos do seu *A Ilha do dr. Moreau* (1896), *Uma história dos tempos futuros* (1897), *O homem invisível* (1897), *A guerra dos mundos* (1898) e *Os primeiros homens na lua* (1901), entre outros escritos. Neles, o autor exploraria mais temas espinhosos, tabus inequívocos dos efeitos produzidos pela ciência e pela tecnologia, prenunciando debates delicados como alteração genética, guerra nacional, exploração lunar, invasão imperial e revolução civil.

Um problema que todo viajante do tempo enfrenta é a severa decisão sobre deixar o fluxo cronológico inalterado, mesmo que ele signifique dor, morte e sofrimento para povos e comunidades inteiras, do hoje ou do amanhã. A pergunta que esses heróis e suas histórias parecem nos fazer é a seguinte: seriamos capazes de fechar os olhos à injustiça e apenas seguir viagem, cerrando nossas janelas e portas aos gritos dos aflitos e aos tiros dos déspotas? No caso de Wells, a resposta estava dada e sua vida, entre viagens pelo tempo e pelo espaço, seria dedicada a mudar o mundo, mesmo que o mundo e seus líderes teimassem em investir na aniquilação.

III

Se não acabarmos com a Guerra, ela acabará conosco.

Durante a vida, H. G. Wells entregou-se a causas sociais e a movimentos que visaram reformas e revoluções. Foi também esse aspecto engajado que chamou a atenção de contemporâneos como Joseph Conrad (1857-1924), que nutria por Wells declarada admiração, a quem considerava um mestre precursor. Mesmo assim, é de Conrad uma frase que define menos sua própria literatura, mas muito a de Wells. "Você," disse Conrad a ele em 1918, "não liga para a humanidade, mas supõe que ela possa ser aprimorada. Eu, por outro lado, a amo, mas sei que ela não pode". Fazendo jus a essa avaliação nos anos seguintes, o escritor de *A Máquina do Tempo* abraçaria fortemente os ideais do socialismo e da transformação política em busca de mais igualdade, ideais que as guerras mundiais e as revoluções frustradas do século XX viriam a frustrar.

Em outra direção, outro contemporâneo, Henry James (1843-1916), mantinha uma relação ambígua com Wells, uma relação perpassada pelas desiguais recepções de suas obras e por suas próprias posições estéticas. Entre eles, vicejava a velha oposição enredo ou trama *versus* estilo ou experimentação técnica. Enquanto James defendia uma literatura apartada de causas sociais ou interesses políticos, Wells insistia em trazer esses elementos às histórias. Por fim, a inicial amizade entre eles terminou mal, numa antipatia ilustrada pelas qualidades e diferenças de suas obras. Para Wells, em última instância, uma arte esteticamente perfeita e autocontida enquanto exclusivo feito estilístico seria inócua.

Prova dessa posição é que, após a década dedicada à literatura especulativa, Wells se dedicaria ao ativismo aguerrido e militante, do qual não se afastou nem mesmo em seus anos finais. Entre os ideais defendidos por ele estavam o movimento sufragista, a educação dos pobres e o socialismo. A partir desses ideais, o ativismo do escritor se voltaria contra a violência mecanizada da Primeira Guerra Mundial, os excessos da sociedade Fabiana e da revolução russa – embora inicialmente tivesse os defendido por seus valores de esquerda – e a estratificação social que impedia os pobres de serem educados e de pleitear melhores condições de trabalho e de vida.

Todos esses elementos marcaram sua produção tanto de ficção quanto de não ficção. No caso da última, destacam-se os ensaios de oposição à Primeira Guerra Mundial produzidos entre 1914 e 1918 e o seu *História Universal* (1920), monumento reflexivo que não só rendeu grande retorno financeiro ao autor como exemplificou seu pensamento inovador para o período, com capítulos dedicados a Charles Darwin, a China e a Buda, entre outros temas menos comuns nas rodas de reflexão inglesa e europeia e aos tomos jornalísticos e enciclopédicos.

O sucesso dessa obra fez com que Wells, nos anos seguintes, empreendesse com Thomas Huxley – irmão do escritor Aldous Huxley e neto de seu antigo professor no Imperial College – uma série de artigos de divulgação científica que objetivavam o público acadêmico e escolar. Como educador e ativista, ele trabalhou para tornar a ciência mais aprazível e acessível ao grande público, numa produção que iria chegar aos rádios e ao cinema na década de 1930 e 1940, agora com uma produção já marcada por sua oposição à Alemanha e aos horrores da Segunda Guerra Mundial.

De uma perspectiva literária, a bibliografia e a biografia de Wells são dignas de nota. Com seu bom humor característico, Adam Roberts, no *A Verdadeira História da Ficção Científica*, afirma que o autor pode ser considerado, "sob pena de alguma punição desagradável", o "maior romancista a trabalhar com a linguagem da ficção científica.". E não apenas isso. Segundo o crítico inglês,

> Wells trouxe novas premissas para a ficção científica (FC). Com grande frequência adaptou tropos mais antigos da FC, mas tudo o que tocava ganhava vida de um modo nitidamente moderno, com um senso poético implícito e profunda compreensão, em geral intuitiva, da dialética que determina o gênero como um todo. (2018, p. 282)

Para Roberts, adjetivos como "eloquente, instigante e surpreendente" se adéquam à obra de Wells, que nos brindaria com uma série de livros de fôlego, clássicos instantâneos não apenas do gênero como da literatura inglesa como um todo. Já, Parrinder, afirma que ele seria "a figura crucial na evolução do romance científico para a moderna ficção científica. Seu exemplo fez tanto para moldar a FC quanto qualquer outra influência literária considerada à parte" (1980, p. 10). Tais elogios já são perceptíveis em seu romance de estreia.

Emparedado entre dimensões literárias e ficcionais de um lado e sociais e políticas de outro, *A Máquina do Tempo* persiste como um dos mais importantes romances do final do século XIX. Narrativa fundadora da ficção científica como a conhecemos, trata-se hoje de uma das mais importantes ficções especulativas que o século XIX nos legou. No sentido forte do termo "especulativo", *A Máquina* abriu inúmeros caminhos para seu autor e para seus futuros leitores. Mais de um século depois, seria ainda possível voltarmos atrás, retrocedermos no tempo, nos costumes e nas ideias? Eis a pergunta que o viajante do tempo nos faz e que respondemos com esta nova edição, nossa própria engrenagem sombria de exploração temporal e ficcional.

II

A civilização é uma guerra entre educação e catástrofe.
E a verdade é a única arma que temos.

Esta edição do clássico de H.G. Wells pela DarkSide Books que você, viajante, tem em mãos se justifica por uma série de razões. Primeiro, porque ela abre caminhos para outras obras de ficção científica nas quais o medo e os horrores humanos, reais ou imaginários, se fazem presentes. Além disso, porque essa escolha parece-nos ainda mais apropriada ao presente momento, um tempo de crises sanitária, política e cultural em que o desejo de retornar ao passado ou de chegar rapidamente ao futuro se faz recorrente em cada dia de nossas vidas. Nesse sentido, a perspectiva de um futuro apocalíptico, sombrio e desolador, no qual a humanidade evoluiu ao seu ápice para então encontrar sua inevitável degradação, infelizmente não nos parece tão distante. Sendo sem dúvida um dos temas deste romance, ele nos lega a possibilidade de, ao fugirmos do futuro, confrontarmos e avaliarmos nosso presente.

Em terceiro lugar, para ampliar a jornada proposta por Wells – um homem vivendo numa sociedade europeia no final do século XIX – pensamos em presentear os leitores com quatro releituras de seu clássico, invenções baseadas na premissa de viagens no tempo a partir de outras sensibilidades e de uma perspectiva brasileira. Em meio a retornos temporais a modos de pensar e a estruturas políticas, que fizeram do passado uma história que não deveríamos desejar reviver, e a uma pandemia que mostra dia após dia o quanto nossa civilização, ao encurtar o tempo e o espaço, pode ter acelerado o contágio e a morte, recriarmos máquinas do tempo possíveis e impossíveis mostra-se um exercício tanto lúdico quanto terapêutico.

Assim, convidamos em primeiro lugar a brasiliense Aline Valek – que nasceu em Minas e mora em São Paulo. A escritora e ilustradora *desafiou o tempo* adicionando ao todo desse laboratório ficcional, uma história que envolve os laços e traços das nossas angústias mais pessoais. Tecendo o fio do tempo em direção ao passado, Valek alinha e desalinha a trama temporal de Jaque, sua protagonista. A partir de uma noção de tempo subjetivo e particular, dialogando indiretamente com as "águas vivas" e com "enchentes líquidas" da autora, o conto "Irmãs Aranhas" é um convite a revermos, nos "estúdios oníricos" dos nossos fios e teias pessoais, as viagens mentais que formam nossa subjetividade.

Em segundo lugar, o paulistano Felipe Castilho, entre legados folclóricos, ordens vermelhas e séries televisivas sobre quarentenas, e outros projetos envolvendo jogos de computador, eventos a distância e quadrinhos distribuídos na internet, *encontrou tempo* para cogitar o que um Philip K. Dick brasileiro faria ao encontrar com uma estranha versão de si mesmo. Lisérgico, hilário e autorreferente – como muito daquilo que Castilho produz em sua literatura ou no *Twitter* – Felipe nos lega um folclore temporal inquietante e estranho. Qual seria o pacote turístico que você escolheria nas próximas férias? Tenho certeza que nunca mais as planejará do mesmo modo depois de ler "H.G.W. Agência de Viagens".

Ana Rüsche, por sua vez, *subverteu seu tempo* e trouxe a este projeto sua sensibilidade de poeta e prosadora em um conto que une narrativas encaixadas como bonecas russas, precisão científica – viagens ao futuro são possíveis segundo boa parte dos físicos, enquanto retornos ao passado não passariam de exercícios imaginativos – e uma inquietante questão: "Se nossas viagens temporais são registradas em nossas lembranças, o que seria de um *viajante do tempo* desmemoriado?" A partir dessa inventiva premissa, o conto "Mergulho no Azul Cintilante" emparelha história do Brasil, saltos temporais e a necessidade das histórias em tempos de horror, crises e colapsos, dando a sua narrativa um desconfortável tom de atualidade. Num Rio de Janeiro tomado pelo mar e através de mergulhos em nossa cultura, seu conto encadeia exploração do tempo, ambientação futurista e buscas existenciais, traços onipresentes na poesia, ficção e crítica de Rüsche.

Finda esse quarteto de cordas temporais, "Manuscrito Gaélico". Braulio Tavares é ele mesmo um viajante do tempo com vasta experiência, sendo um dos primeiros nomes pensados para este projeto, em especial por suas habilidosas explorações pela criação e pesquisa de monstros, cordéis e fantasias brasileiras. Além disso, a obra de

Wells foi seu primeiro livro de juventude, obra que depois Tavares estudaria e também traduziria. Pesquisador e ficcionista, ele domina como poucos a sobreposição de estilos formais e informais presentes na linguagem escrita. No seu conto, fragmentos e estilhaços – ou seriam instantes? – temporais e textuais se sobrepõem, convidando os leitores a montarem um intrincado quebra-cabeça que envolve história, crítica, jornalismo, edição e ficção, além de nos propor um interessante debate sobre máquinas temporais idealizadas a partir de bicicletas e carros e o que ambos dizem sobre nossos próprios delírios mecanicistas.

Misturando explorações imaginativas, bom humor e ironia, referências culturais estrangeiras e brasileiras, além de uma série de reflexões sobre nosso passado, presente e futuro, esses quatro exploradores da nossa literatura fantástica – convidados em tempos cronológicos iguais e em tempos subjetivos diversos –, nos brindam com uma projeção – ou seria revisão? – de Wells e sua *Máquina*. Fazem isso, supondo e concretizando diferentes tecnologias para a exploração temporal.

Nas ampulhetas narrativas de Valek, Castilho, Rüsche e Tavares, tecelagens cósmicas, agências turísticas, piscinas cronotópicas e casas temporais, propiciam explorações cronológicas e topológicas *à brasileira*, enviando ao texto de Wells sinais e ruídos de leituras, interpretações e reinvenções. Mas diferente do autor inglês, esses quatro aventureiros do insólito ficcional produzem histórias ambíguas nas quais viagens do tempo podem não passar de delírios pessoais, advindos de reminiscências mentais, *bad trips* lisérgicas, lapsos mnemônicos e psicológicos, e, por fim, invenções ficcionais unidas a justaposições textuais, indícios das viagens psíquicas que todos fazemos em direção ao passado que herdamos ou ao futuro que desejamos.

Esse cuidado com as narrativas ficcionais extras, também foram extensíveis à escolha da voz que assinaria sua tradução. Jana Bianchi tem demonstrado em seu oficio tradutório constante, em sua ficção inventiva e engajada e em seu trabalho editorial inovador – com especial destaque à revista digital *Mafagafo* – ser uma das vozes mais instigantes da literatura fantástica atual. Por isso, pareceu-nos mais que acertada sua inclusão nesse volume assinando a tradução de Wells para a nossa edição, que apresenta também uma série de ilustrações ruidosas e experimentais do artista catarinense Pedro Franz.

I

Temos todos nossas máquinas do tempo, não?
As que nos levam para trás são nossas memórias.
As que nos levam à frente são nossos sonhos.

Os viajantes nunca se enganam, mesmo em seus equívocos. A aventura chama. O futuro e o passado esperam. O relógio e sua contagem progressiva – marcando as horas do dia – e regressiva – pois demarcam a proximidade do fim – continuam batendo. Diante de nós, agora mesmo, não depois nem antes, o livro convida ao desconhecido, essa maquinaria de vazão temporal, esse pórtico para outras eras e séculos, esse virar de páginas que vira tempos e não raro revira vidas, sobretudo quando seus visitantes são apaixonados, dedicados e intrépidos.

Este livro foi muitas coisas para muitas pessoas, menos ou mais especialistas. Romance inovador, ensaio corajoso, biografia disfarçada, crítica social, teoria política, alegoria cultural e extrapolação científica. Ele teria todas essas dimensões ou apresentaria ainda outras? Não importa. Antes de tudo isso, *A Máquina do Tempo* é uma obra de ficção, uma engrenagem narrativa-textual, singular e eficiente como poucas no que diz respeito a sua principal função: entreter quem a lê, prender sua imaginação e levá-la a dimensões espaço-tempo que não visitaria de qualquer outro modo.

Ainda mais, podemos dizer que o instrumento que temos em mãos mudou o modo como nós – *Elóis* ou *Morlocks* dos reinos presentes, vivendo acima ou abaixo da superfície – alteramos nossa visão sobre o poder da nossa mente. Como viajantes sazonais que somos – argonautas de um tempo dúbio, ora determinado pela fria batida dos ponteiros ora transpassado pelas subjetivas pulsações da mente – viremos a página seguinte e voltemos no tempo. Ao ano de 1895, quando o manuscrito desta obra foi publicado pela primeira vez. Ou melhor, comecemos a leitura e viagem ao futuro, ao sombrio ano de 802.701 d.C.

Depois, iremos ainda mais longe. A mente, assim como esse livro, é uma literal e literária máquina de exploração temporal.

Boa viagem. Não nos perdamos. Ou melhor... nos perdamos. No ontem, no amanhã ou no daqui a pouco.

Enéias Tavares
Santa Maria, 11 de abril de 2021.
Ano II do Isolamento Social
& da Investigação Temporal.

BIBLIOGRAFIA CONSULTADA

ALDISS, Brian; WINGROVE, David. *Trillion Year Spree: the History of Science Fiction*. Londres: Gollancz, 1986.

ALKON, Paul K. *Science Fiction before 1900: Imagination Discovers Technology*. Londres: Routledge, 1994.

JAMES, Edward. MENDLESOHN, Farah. *The Cambridge Companion to Science Fiction*. Cambridge: Cambridge University Press, 2003.

MARSHALL, Gail. *The Cambridge Companion to The Fin de Siècle*. Cambridge: Cambridge University Press, 2007.

PARRINDER, Patrick. *Shadows of the Future: H.G. Wells, Science Ficciotn and Prophecy*. Liverpool: Liverpool University Press, 1995.

PARRINDER, Patrick. *Science Fiction: Its criticism and Teaching*. Londres/ Nova York: Methuen, 1980.

ROBERTS, Adam. *A verdadeira história da ficção científica*. São Paulo: Seoman, 2018.

RUDDICK, Nicholas. "The fantastic fiction of the Fin de Siècle." In: MARSHALL, Gail. *The Cambridge Companion to The Fin de Siècle*. Cambridge: Cambridge University Press, 2007, p. 189-206.

STABLEFORD, Brian. "Science fiction before the genre." In: JAMES, Edward. MENDLESOHN, Farah. *The Cambridge Companion to Science Fiction*. Cambridge: Cambridge University Press, 2003, p. 15-31.z

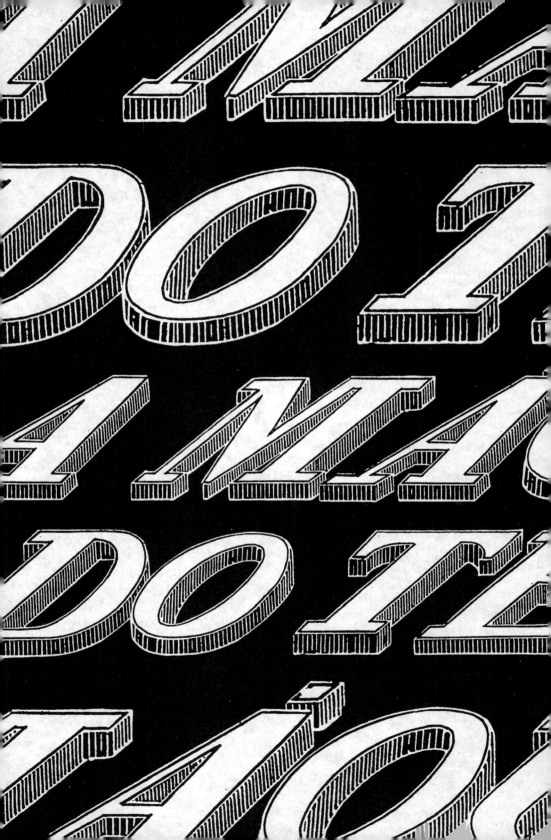

A
Máquina
do Tempo

Wells

I

O Viajante do Tempo (pois esta é a forma conveniente de chamá-lo) nos apresentava um assunto obscuro. Seus olhos cinzentos brilhavam, cintilavam, e o rosto geralmente pálido estava corado e cheio de animação. O fogo na lareira resplandecia, e a luminosidade suave das lâmpadas incandescentes nos lírios de prata refletia nas borbulhas que efervesciam e estouravam em nossas taças. As cadeiras em que estávamos, patenteadas pelo próprio homem, mais nos abraçavam e acarinhavam do que apenas se sujeitavam a servir de assento, e persistia aquela luxuriosa atmosfera pós-jantar em que o pensamento flui graciosamente livre das rédeas da precisão. E assim ele expunha o assunto — usando o indicador magro para reforçar cada ponto —, enquanto descansávamos e admirávamos, cheios de moleza, tanto a seriedade com que ele encarava aquele novo paradoxo (ou assim julgávamos ser) quanto sua engenhosidade.

"Acompanhem meu raciocínio. Devo contradizer uma ou duas ideias aceitas de forma quase universal. Por exemplo a geometria que ensinaram aos senhores na escola: ela é baseada em um conceito equivocado."

"Não seria essa uma afirmação ousada demais?", perguntou Filby, um sujeito ruivo e questionador.

"Não exigirei que aceitem nada sem antes lhes dar uma base razoável. Logo admitirão o que preciso que admitam. Já sabem, é claro, que uma reta matemática, uma reta de espessura nula, não existe de verdade. Isso lhes foi ensinado? O mesmo ocorre com um plano matemático. Trata-se de meras abstrações."

"Perfeito", concordou o psicólogo.

"Tampouco um cubo, tendo apenas comprimento, largura e altura, pode existir de verdade."

"Nesse caso, discordo", disse Filby. "É óbvio que um corpo sólido existe. Todas as coisas reais…"

"É nisso que a maioria das pessoas acredita, mas veja bem: é possível existir um cubo *instantâneo*?"

"Não entendi a pergunta", retrucou Filby.

"É possível a um cubo que não dura tempo algum, de fato, existir?"

Filby ficou pensativo. O Viajante do Tempo continuou:

"É evidente que qualquer corpo real precisa se estender em *quatro* direções: deve ter Comprimento, Largura, Altura e… Duração; mas, por decorrência de uma limitação natural da matéria, que lhes explicarei em um instante, somos propensos a negligenciar esse fato. A verdade é que há quatro dimensões — a três delas nos referimos como os três planos do Espaço, e a quarta é o Tempo. Há, porém, uma tendência de se estabelecer uma distinção irreal entre as três primeiras dimensões e a última, porque nossa consciência se move de forma intermitente em uma única direção no Tempo, do início ao fim de nossas vidas."

"Isso…", começou um rapazote, fazendo esforços espasmódicos para reacender o charuto na chama da lamparina. "Isso… está mais do que claro."

"Pois então! Mas é notável o quanto tal fato é ignorado", continuou o Viajante do Tempo, com um pouco mais de entusiasmo. "É justamente isso que significa a Quarta Dimensão, embora algumas pessoas que falam sobre ela sequer saibam do que estão falando. É apenas outra forma de olhar para o Tempo. *Não há diferença entre o Tempo e qualquer uma das três dimensões do Espaço, exceto que nossa consciência se move ao longo do Tempo.* No entanto, alguns tolos se apropriaram de um sentido errado dessa ideia. Todos aqui já ouviram o que essas pessoas têm a dizer sobre a tal Quarta Dimensão?"

"*Eu* não", disse o prefeito do distrito.

"É simples: dizem nossos matemáticos que o Espaço — como o entendem, ao menos — é composto de três dimensões, que podem ser chamadas Comprimento, Largura e Altura. Dizem ainda que o Espaço é sempre definível em função de três planos, cada um deles formando ângulos retos com os outros dois, mas alguns sujeitos dados à filosofia começaram a se questionar: por que especificamente *três* planos? Por que não cogitar uma quarta direção formando um ângulo reto com as outras três? Assim, tentaram construir uma geometria de Quatro Dimensões. O professor Simon Newcomb palestrou sobre isso diante da Sociedade Matemática de Nova York, cerca de um mês atrás. Os senhores já sabem como é possível, em uma superfície plana de apenas duas dimensões, representar a figura de um sólido tridimensional. Tais pensadores creem que, de forma análoga, é possível partir de modelos tridimensionais e representar um objeto quadrimensional; isso se conseguirem dominar a perspectiva da coisa. Percebem?"

"Creio que sim", murmurou o prefeito do distrito. Franzindo o cenho, mergulhou em um estado introspectivo, movendo os lábios como se entoasse palavras místicas. "Sim, creio que agora entendo", completou depois de algum tempo, empertigando-se de forma súbita.

"Bem, pois então vou lhes contar que venho trabalhando com essa geometria de Quatro Dimensões há algum tempo. Alguns dos meus resultados são curiosos. Por exemplo, aqui está um retrato de um homem com 8 anos de idade, outro com ele aos 15, depois aos 17, aos 23 e assim por diante. Todos são claramente secções — ou melhor dizendo, representações Tridimensionais — deste ser Quadridimensional, que é um elemento fixo e inalterado."

Depois de uma pausa necessária para a assimilação apropriada do que dissera, o Viajante do Tempo prosseguiu:

"Pessoas da ciência sabem muito bem que o Tempo não passa de um tipo de Espaço. Aqui está um diagrama científico popular, um registro da pressão atmosférica. Esta linha que acompanho com o dedo mostra a evolução das marcações de um barômetro. Ontem de dia ele registrou um valor muito alto; à noite o valor caiu; hoje de manhã voltou a subir e assim o fez suavemente até este ponto. O mercúrio no duto do aparelho decerto não traçou essa linha em nenhuma das dimensões do Espaço reconhecidas segundo o senso comum, não é? Mas traçou uma linha, sem dúvida. Tal linha, devemos concluir, foi traçada ao longo da Dimensão do Tempo."

"Mas", começou o médico, fitando as brasas na lareira, "se o Tempo é apenas uma quarta dimensão do Espaço, por que ele é — e sempre foi — encarado como algo diferente? E por que não podemos nos mover pelo Tempo como fazemos com as outras dimensões do Espaço?"

O Viajante do Tempo sorriu.

"Tem certeza de que podemos nos mover livremente pelo Espaço? Podemos ir com bastante liberdade para a esquerda e para a direita, para a frente e para trás, e assim sempre fizemos. Aceito dizer que nos movemos livremente em duas dimensões, mas e quanto a ir para cima e para baixo? Nesse caso, a gravidade nos limita."

"Não exatamente", disse o médico. "Há os balões."

"Mas antes dos balões, exceto por saltos espasmódicos sobre as irregularidades da superfície terrestre, as pessoas não tinham liberdade de movimento vertical."

"Ainda assim, podiam se mover um pouco para cima e para baixo", replicou o médico.

"Com muito, muito mais facilidade para baixo do que para cima."

"De toda forma, não é possível se mover pelo Tempo. Não é possível escapar do momento presente."

"Meu caro senhor, é exatamente sobre isso que está equivocado. É exatamente sobre isso que o mundo todo está equivocado. Sempre escapamos do momento presente. Nossa existência mental, que é imaterial e sem dimensões, avança ao longo da Dimensão do Tempo em uma velocidade uniforme, do berço ao túmulo. Assim como sempre nos moveremos *para baixo* se começarmos nossa existência a oitenta e tantos quilômetros acima da superfície do planeta."

"Mas a grande questão é a seguinte", interrompeu o psicólogo. "Podemos *sim* nos mover em todas as direções do Espaço, mas não podemos nos mover pelo Tempo."

"Esse é o cerne de minha grande descoberta. E os senhores estão errados em dizer que não podemos nos mover pelo Tempo. Por exemplo, quando me lembro de algo de forma muito vívida, volto ao instante do ocorrido — fico com a cabeça em outro lugar, como dizem. Por um momento, eu salto para o passado. Claro que não há como permanecer no passado por um tempo considerável, assim como um selvagem ou os animais terrestres são incapazes de permanecer flutuando a mais de dois metros do chão. Mas uma pessoa civilizada está acima disso. Podemos superar a gravidade usando um balão. Então por que não teríamos a esperança de, enfim, parar ou acelerar o deslocamento desse balão pela Dimensão do Tempo, ou mesmo de dar meia-volta e nos movermos no sentido inverso?"

"Ah, *isso*", começou Filby. "Isso não..."

"Por que não?", interrompeu o Viajante do Tempo.

"Porque vai contra a razão", disse Filby.

"Qual razão?", rebateu o Viajante do Tempo.

"Mesmo se provar que o preto é branco usando esse mesmo argumento", retrucou Filby, "nunca me convencerá."

"É possível que não", disse o Viajante do Tempo. "Mas agora acho que já começaram a entender o objeto de minhas pesquisas no campo da geometria das Quatro Dimensões. Há muito, tive uma vaga ideia de uma máquina..."

"Para viajar no Tempo!", exclamou o rapazote.

"... que pode viajar sem distinções em qualquer direção do Espaço e do Tempo, conforme o desejo de quem a conduz."

Filby irrompeu em gargalhadas.

"Pois tenho validação experimental", afirmou o Viajante do Tempo.

"Isso seria muito conveniente para os historiadores", sugeriu o psicólogo. "Poderiam viajar ao passado para confirmar os relatos acerca da Batalha de Hastings, por exemplo!"

"Não acha que chamariam a atenção?", indagou o médico. "Nossos antepassados não tinham muita tolerância com anacronismos."

"Poderíamos aprender filosofia grega com Homero e Platão em pessoa", sugeriu o rapazote.

"Poderíamos, mas quem o fizesse seria reprovado nas avaliações da graduação. Os acadêmicos alemães melhoraram muito o pensamento grego."

"Há também a possibilidade de ir para o futuro", disse o rapazote. "Pensem só! Poderíamos investir nosso dinheiro, colocá-lo para render e depois dar um salto adiante no tempo!"

"E talvez encontrar uma sociedade", comecei eu, "criada sobre bases estritamente comunistas."

"Dentre todas as teorias estapafúrdias!", soltou o psicólogo.

"Sim, eu pensava o mesmo, por isso não falei nada até..."

"Validação experimental!", exclamei. "Realmente é *isso* que vão verificar?"

"Mostre o experimento!", gritou Filby, que parecia estar ficando com a mente exausta.

"Aceitamos ver seu experimento", disse o psicólogo, "mesmo que isso tudo seja claramente um embuste."

O Viajante do Tempo sorriu para o grupo. Depois, ainda sorrindo de forma enviesada, com as mãos enfiadas nos bolsos das calças, deixou o cômodo a passos lentos, e ouvimos o ruído de seus calçados se arrastando pelo longo corredor até o laboratório.

O psicólogo se virou para nós.

"Eu me pergunto o que ele tem para mostrar..."

"Algum truquezinho de mágica ou coisa parecida", palpitou o médico, e Filby tentou nos contar sobre um mágico que vira em Burslem. Antes que pudesse terminar, porém, o Viajante do Tempo voltou, botando um fim na anedota de Filby.

O Viajante carregava nas mãos uma estrutura de metal brilhante pouco maior do que um pequeno relógio, de feitio muito delicado. Tinha detalhes em marfim, além de peças transparentes feitas de uma substância cristalina. E agora devo ser explícito: o que se segue é a descrição de algo que, a menos que a explicação do Viajante do Tempo seja acatada, é absolutamente inexplicável. Ele pegou uma das mesas octogonais espalhadas pelo cômodo e a colocou diante do fogo, posicionando duas pernas do móvel sobre o tapete diante da lareira. Pousou o mecanismo sobre a mesa, puxou uma cadeira e se sentou. O único outro objeto sobre o tampo era uma pequena lamparina, cuja luz intensa banhava o aparato. Também havia mais de uma dezena de velas ao nosso redor, duas em castiçais de bronze sobre a lareira e várias em arandelas, iluminando o cômodo de forma abundante. Eu estava sentado em uma poltrona baixa perto do fogo, e a puxei para a frente até quase me colocar entre o Viajante do Tempo e a lareira. Filby se sentou atrás dele, olhando por cima do ombro do homem. O médico e o prefeito do distrito se colocaram ao lado, à direita, e o psicólogo, à esquerda. O rapazote ficou em pé atrás do psicólogo. Estávamos todos alertas. Dadas as condições, parece-me incogitável termos caído em qualquer tipo de truque, por mais bem pensado e habilmente executado que porventura fosse.

O Viajante do Tempo nos encarou e depois olhou para o mecanismo.

"E então?", provocou o psicólogo.

"Esta coisinha", começou o Viajante do Tempo, apoiando os cotovelos na mesa e unindo as mãos acima do aparato, "é apenas um modelo. É meu projeto de uma máquina para viajar no tempo. Os senhores perceberão que parece peculiarmente torta, e que esta barra cintila de forma estranha, quase como se fosse irreal." Ele apontou para a peça em questão. "E que há uma alavanca aqui, e outra aqui."

O médico se levantou da cadeira e espiou a máquina.

"Foi feita com esmero", comentou.

"Levei dois anos para construí-la", replicou o Viajante do Tempo. Todos repetimos os gestos do médico, e em seguida o Viajante do Tempo prosseguiu: "Agora, quero que compreendam claramente que esta alavanca, ao ser empurrada, faz a máquina zarpar futuro afora, e esta outra reverte o movimento. Este selim representa o assento de um viajante do tempo. Assim que eu deslocar a alavanca, lá se vai a máquina. Ela vai se dissipar, migrar para o Tempo futuro e desaparecer. Deem uma boa olhada nela. Analisem a mesa também, para garantir que não há truques. Não quero desperdiçar este modelo e depois ainda ter de ouvir que sou um charlatão."

Ninguém fez nada por talvez um minuto. O psicólogo parecia que ia falar comigo, mas mudou de ideia. Foi quando o Viajante do Tempo estendeu o dedo na direção da alavanca.

"Não", disse ele, de súbito. "Dê aqui sua mão." E, virando-se para o psicólogo, pegou a mão do sujeito e pediu para que ele estendesse o indicador.

Assim, foi o próprio psicólogo que mandou a Máquina do Tempo em sua viagem sem fim. Todos vimos a alavanca ceder. Tenho plena certeza de que não foi um truque. Houve uma rajada de vento, e as chamas da lamparina tremeluziram. Uma das velas sobre a lareira se apagou; a maquininha deu uma volta súbita no próprio eixo e ficou indistinta, parecendo um espectro por talvez um segundo, como se fosse um redemoinho de latão e marfim. No instante seguinte, não estava mais lá — sumira! Exceto pela lamparina, a mesa encontrava-se vazia.

Todos caímos em um silêncio que durou um minuto inteiro. Só depois, Filby perguntou que diabos acontecera ali.

O psicólogo se recuperou do estupor e correu para olhar embaixo da mesa. Em reação, o Viajante do Tempo caiu na gargalhada.

"E então?", falou, imitando o psicólogo.

Em seguida, o Viajante se levantou e foi até o repositório de fumo sobre a lareira. De costas para nós, começou a encher o cachimbo.

Encaramos uns aos outros.

"Diga-me", perguntou o médico, "está sendo mesmo sincero? Realmente acredita que a máquina viajou no tempo?"

"Decerto que sim", respondeu o Viajante do Tempo, inclinando-se para acender um estopim nas chamas da lareira. Depois se virou, inflamando o fumo no cachimbo, e encarou o psicólogo nos olhos. (O psicólogo, para provar que estava inabalado, serviu-se de um charuto, mas tentou acendê-lo sem cortar a ponta.) "Além disso, tenho uma máquina em tamanho real quase terminada bem ali." Ele indicou o laboratório. "Pretendo embarcar eu mesmo em uma jornada assim que estiver terminada."

"Está dizendo que aquela maquininha viajou para o futuro?", indagou Filby.

"Para o futuro ou para o passado, não sei ao certo."

Depois de uma pausa, o psicólogo pareceu ter uma luz.

"Ela deve ter ido para o passado, supondo que foi para algum lugar", comentou.

"Por quê?", perguntou o Viajante do Tempo.

"Porque presumo que não se moveu no espaço. Se tivesse viajado para o futuro, teria permanecido aqui o tempo todo, dado que deve ter viajado passando por este momento."

"Mas se tivesse viajado para o passado", retorqui, "já a teríamos visto assim que entramos no cômodo. E na quinta-feira passada, quando nos reunimos aqui. E na quinta-feira anterior, e assim por diante!"

"Há de se discordar seriamente", declarou o prefeito do distrito, com ar de imparcialidade, virando-se na direção do Viajante do Tempo.

"De modo algum", respondeu. Depois, dirigiu-se ao psicólogo: "Pense. *É o senhor* quem pode explicar esse fenômeno. Estamos falando de uma representação que está abaixo do limite da percepção — uma representação diluída, por assim dizer."

"Claro", afirmou o psicólogo, e começou a nos explicar. "É um tópico simples da psicologia. Eu deveria ter pensado nisso. Não podemos ver a máquina, muito menos examiná-la, mais do que podemos ver ou examinar um dos raios de uma roda girando, ou um projétil voando pelo ar. Se ela estiver viajando pelo tempo cinquenta ou cem vezes mais rápido que nós, avançando um minuto no tempo enquanto nos deslocamos apenas um segundo, a imagem que ela imprime no mundo obviamente durará apenas um quinquagésimo ou um centésimo do que duraria se não estivesse viajando no tempo. Isso é bastante óbvio." Ele agitou a mão no ar, onde a máquina estivera. "Veem?", acrescentou, rindo.

Ficamos encarando a mesa vazia por um bom tempo. Enfim, o Viajante do Tempo nos perguntou o que havíamos achado daquilo tudo.

"Parece plausível o suficiente agora", respondeu o médico, "mas quero ver amanhã. Quero ver o que acho disso sob a luz do bom senso que vem com o alvorecer."

"Gostariam de ver a própria Máquina do Tempo?", perguntou o Viajante.

E, com isso, ele pegou a lamparina, tomou a frente e nos levou pelo corredor longo e cheio de correntes de ar que ia até o laboratório. Lembro-me de forma vívida da luz tremeluzente, da silhueta estranha da testa larga do viajante, do bailar das sombras; de como o seguimos, intrigados embora incrédulos, e de como, uma vez no laboratório, contemplamos uma versão maior do pequeno mecanismo que víramos sumir bem diante de nossos olhos. A máquina tinha peças de níquel, outras de marfim e algumas que certamente haviam sido entalhadas ou recortadas de blocos de cristal. Estava quase completa, mas barras cristalinas e retorcidas jaziam inacabadas sobre a bancada, ao lado de algumas páginas com desenhos esquemáticos. Peguei uma das barras para examinar. Parecia de quartzo.

"Espere", disse o médico. "Está mesmo falando sério? Ou é uma brincadeira? Como aquele fantasma que nos mostrou no Natal passado?"

"Usando aquela máquina ali", proferiu o Viajante, erguendo a lamparina, "pretendo explorar o tempo. Ficou claro? Nunca falei tão sério em toda a minha vida."

Nenhum de nós soube o que responder.

Vislumbrei o rosto de Filby por sobre o ombro do médico, e ele piscou os olhos de forma solene.

A
Máquina
do Tempo

Wells

II

Na época, acho que nenhum de nós acreditou de verdade na Máquina do Tempo. O fato é que o Viajante do Tempo era um desses homens astutos demais para que acreditássemos neles. Tínhamos a sensação de nunca estar enxergando seus movimentos com clareza — havia sempre a suspeita de que, por trás de sua franqueza lúcida, espreitasse certo autocontrole sutil, certa ingenuidade ardilosa. Se Filby tivesse apresentado o modelo e explicado a questão usando as mesmas palavras do Viajante do Tempo, com *ele* teríamos nos mostrado muito menos céticos. Afinal, suas motivações nos seriam claras — um açougueiro qualquer era capaz de entender Filby. No entanto, o Viajante do Tempo tinha um toque considerável de veleidade entre suas características; não confiávamos nele. Coisas que teriam feito a fama de homens menos perspicazes pareciam artimanhas em suas mãos. Ter facilidade demais para fazer algo é um erro. Mesmo as pessoas sérias que não duvidavam dele nunca estavam muito convictas de seu comportamento: de certa forma, sabiam que colocar em jogo a própria reputação ao confiar nele era como decorar o quarto de uma criança pequena com bibelôs de porcelana delicada. Por isso, acho que nenhum de nós falou muito sobre viagem no tempo no intervalo entre aquela quinta-feira e a seguinte. O peculiar potencial da coisa, porém, sem dúvida não saiu de nossa cabeça. Ou melhor, não saiu de nossa cabeça a plausibilidade de viajar no tempo, a dificuldade prática de crer naquilo e as possibilidades de anacronismos e da mais absoluta confusão que essa ideia sugeria. De minha parte, o que mais me preocupava era o truque com o modelo. Lembro de ter discutido isso com o médico, que encontrei naquela sexta-feira na Sociedade Lineana. Ele disse que vira algo similar em Tubinga, ressaltando em particular a vela que se apagara. Apesar disso, ele não sabia explicar como o truque era feito.

Na quinta-feira seguinte, voltei a Richmond — acho que eu era um dos visitantes mais assíduos do Viajante do Tempo. Cheguei tarde e encontrei quatro ou cinco homens já reunidos na sala de estar. O médico estava diante da lareira com um papel na mão e o relógio na outra. Olhei ao redor procurando pelo Viajante.

"Já são sete e meia", disse o médico. "Suponho então que seja melhor jantarmos?"

"Onde está…", perguntei, dizendo o nome de nosso anfitrião.

"O senhor acabou de chegar? Bem, é estranho. Ele teve um compromisso inadiável. Pediu-me neste bilhete para iniciar o jantar às sete se ainda não tivesse voltado. Diz aqui que vai explicar tudo quando chegar."

"Seria uma pena deixar o jantar esfriar", disse o editor de um conhecido periódico diário. Logo em seguida, o médico tocou a sineta.

O psicólogo era a única pessoa além do médico e de mim que estivera presente no jantar anterior. Os outros homens eram Blank — o editor mencionado acima —, certo jornalista e outro sujeito: um homem quieto, tímido e barbado. Eu não o conhecia e, até onde pude observar, não abriu a boca nem uma vez sequer ao longo de toda a noite. Houve certa especulação durante o jantar sobre a ausência do Viajante do Tempo, e de maneira um tanto jocosa sugeri que talvez estivesse viajando no tempo. O editor pediu que explicássemos a piada, e o psicólogo se encarregou de relatar de forma sem graça "o paradoxo e o truque engenhoso" que havíamos testemunhado uma semana antes. Ele estava no meio da explicação quando a porta do corredor se abriu, lenta e silenciosa. Como eu estava de frente para ela, fui o primeiro a perceber.

"Olá!", exclamei. "Até que enfim!"

A porta se abriu mais, e o Viajante do Tempo apareceu. Soltei uma interjeição de surpresa.

"Céus, homem! O que houve?", exclamou o médico, o próximo a vê-lo.

Enfim, todos à mesa se viraram para a porta.

O sujeito estava em situação deplorável, o casaco empoeirado, sujo e manchado de verde nas mangas. Tinha os cabelos bagunçados e, para mim, mais cinzentos — ou por causa da poeira e da sujeira ou porque de fato estavam mais grisalhos. O rosto assustadoramente pálido, e no queixo havia um corte amarronzado — corte já meio cicatrizado. Ostentava uma expressão desvairada e abatida de alguém em intenso sofrimento. Por um momento hesitou na soleira, como se hipnotizado pelas luzes, e depois adentrou o cômodo. Andava com o passo manco que eu já vira em andarilhos de pés feridos. Encaramos o Viajante em silêncio, esperando que falasse.

Ele não disse uma só palavra, mas se aproximou da mesa dolorosamente e fez um gesto na direção da bebida. O editor encheu uma taça de champanhe e a empurrou na direção dele. O Viajante a esvaziou de um só gole e isso pareceu lhe fazer bem, pois olhou ao redor da mesa e o fantasma do sorriso que costumava exibir lampejou em seu rosto.

"Em que raios de confusão se meteu, homem?", disse o médico.

O Viajante do Tempo pareceu não ouvir.

"Não fiquem preocupados", disse, enfim, com a dicção meio prejudicada. "Estou bem." Deteve-se por um instante, estendeu a taça pedindo mais champanhe e bebeu tudo em um gole só. "Que delícia", comentou. Seus olhos ficaram mais brilhantes, e um rubor leve corou seu rosto. Ele encarou cada um de nós, demonstrando certa aprovação embotada, e depois analisou o cômodo aquecido e confortável. Voltou a falar em seguida, ainda como se estivesse se acostumando às palavras. "Vou me banhar e trocar de roupa, depois volto para explicar o que houve… Guardem um pouco de cordeiro para mim. Estou morrendo de vontade de comer carne."

Ele olhou para o editor, um visitante raro, e desejou que estivesse bem. O editor começou a formular uma pergunta.

"Conto tudo em um instante", disse o Viajante do Tempo. "Estou me sentindo meio… esquisito! Volto já."

Ele pousou a taça na mesa e caminhou em direção à porta que dava para a escadaria. De novo notei seu andar manco, ouvi o som suave de seus passos e me levantei para mirar seus pés enquanto saía. Vi que não usava nada além de um par de meias desgastadas e sujas de sangue. Logo depois, a porta se fechou. Cogitei ir atrás, mas me lembrei de como detestava que fizessem grande alarde sobre ele. Por um minuto, talvez, minha mente se perdeu em devaneios. Depois ouvi o editor dizer: *"Espantoso Comportamento de Eminente Cientista"* — já pensando em forma de manchete, como era de seu feitio —, e aquilo fez com que minha atenção voltasse à iluminada mesa de jantar.

"Qual é a jogada?", perguntou o jornalista. "Estava bancando um aprendiz de mendigo? Não entendi muito bem."

Meus olhos encontraram os do psicólogo, e reconheci neles uma compreensão igual à minha. Pensei no Viajante do Tempo mancando dolorosamente escada acima. Não acho que nenhum dos outros percebeu como coxeava.

O primeiro a se recuperar completamente da surpresa foi o médico, que tocou a sineta — o Viajante do Tempo odiava que os criados ficassem esperando na sala de jantar — e pediu um prato quente para o anfitrião. Foi a deixa para o editor voltar a pegar faca e garfo com um grunhido, e o homem calado fez o mesmo. O jantar recomeçou. A conversa seguiu animada por algum tempo, com intervalos para reflexão, até que o editor deu vazão a sua curiosidade ardente e questionou:

"Por acaso nosso amigo está completando sua modesta renda ao trabalhar como varredor de rua ou coisa parecida? Ou está numa fase de Nabucodonosor?"

"Tenho certeza de que tem a ver com a história da Máquina do Tempo", disse e relembrei o relato do psicólogo de nossa última reunião.

Os novos visitantes não escondiam a incredulidade. O editor fez suas objeções:

"Mas que viagem no tempo foi *essa*? Não é possível ficar coberto de poeira só de rolar em um paradoxo, é?"

Ocorrida a ideia, ele passou a fazer troça da história. Será que não existia escovas de limpar roupas no futuro? O jornalista também se negava a acreditar, e se juntou ao editor na fácil tarefa de ridicularizar a situação. Ambos eram do tipo novo de jornalista — jovens muito alegres e irreverentes.

"São as informações de nosso Correspondente Especial, diretamente do Dia Depois do Amanhã", dizia — ou melhor, gritava — o jornalista quando o Viajante do Tempo voltou. Estava vestido com roupas normais de jantar, e a expressão abatida era tudo o que sobrara da aparência que me deixara assustado.

"Gostaria de dizer", começou o editor, aos risos, "que estes camaradas aqui estão falando que o senhor viajou para o meio da semana que vem! Conte para nós os resultados das corridas de cavalo, do pequeno Rosebery. Quanto quer pela informação?"

O Viajante do Tempo assumiu seu lugar à mesa sem dizer nada. Tinha um sorriso discreto, como de costume.

"Onde está meu cordeiro?", perguntou. "Que maravilha poder dar umas boas garfadas em carne de novo!"

"Conte a história!", exclamou o editor.

"A história que se dane!", respondeu o Viajante do Tempo. "Quero comer alguma coisa. Não vou dizer nem uma palavra até colocar nutrientes nas minhas veias. Obrigado. E por favor, passe o sal."

"Só responda uma coisa", pedi. "Estava viajando no tempo?"

"Sim." O Viajante do Tempo assentiu de boca cheia.

"Pago um xelim por linha de um relato detalhado", falou o editor.

O Viajante do Tempo deslizou a taça na direção do homem calado e a fez ressoar com uma leve batida. Em reação, o homem calado, que o encarava, levou um susto e serviu mais bebida. O resto do jantar foi desconfortável. Perguntas súbitas quase me escapavam da boca a todo instante, e ouso dizer que o mesmo acontecia com os demais. O jornalista tentou aliviar a tensão contando anedotas sobre Hettie Potter. O Viajante do Tempo devotava toda a atenção ao jantar, com o apetite de um miserável. O médico fumava um cigarro enquanto observava o Viajante com os olhos semicerrados. O homem calado parecia ainda mais desajeitado do que o normal, e bebia champanhe com regularidade e determinação despertadas pelo mais puro nervosismo. Enfim, o Viajante do Tempo empurrou o prato para longe e olhou ao redor.

"Acho que devo desculpas", lançou. "Mas estava morrendo de fome. Tive uma experiência incrível." Ele estendeu a mão para pegar um charuto e cortou a ponta. "Mas venham para a sala de fumar. A história é longa demais para ser contada diante de pratos sujos." E, tocando a sineta ao passar, ele nos encaminhou até o cômodo adjacente.

"Já contaram sobre a máquina a Blank, Dash e Chose?", perguntou para mim, mencionando três dos convidados pelo nome antes de se reclinar na poltrona.

"Mas a coisa toda não passa de um mero paradoxo", retrucou o editor.

"Não estou em condições de discutir esta noite. Não me importo de lhes contar a história, mas não estou em condições de discutir." Ele prosseguiu: "Vou contar o que aconteceu comigo, se assim desejarem, mas devem evitar me interromper. Eu quero contar. Quero muito. A maior parte da história vai parecer mentira, mas não ligo! É a verdade — cada palavra do relato é a mais pura verdade. Estava em meu laboratório às quatro da tarde e, desde então... Vivi oito dias... dias que nenhum outro ser humano jamais viveu! Estou quase exausto, mas não conseguirei dormir até contar tudo. Depois vou para a cama, mas sem interrupções! Certo?"

"Certo", concordou o editor.

"Certo", ecoaram os demais.

E, com isso, o Viajante do Tempo se pôs a relatar o que reproduzo adiante. Ele começou acomodado no assento, falando como se estivesse esgotado. Mais tarde, porém, animou-se. Enquanto escrevo o que ouvi, sinto de forma aguda como a caneta tinteiro e o papel não fazem jus — e, acima de tudo, como *eu* não faço jus — à qualidade da história. Suponho que você esteja lendo isto com toda a atenção, mas não pode ver o rosto pálido e sincero do Viajante sob o foco da lamparina, nem ouvir a entonação de sua voz. Tampouco tem como saber de que forma a expressão do sujeito acompanhava as reviravoltas da história! Quase todos os ouvintes estavam nas sombras, pois as lamparinas na sala não haviam sido acesas, e apenas o rosto do jornalista e a parte debaixo das pernas do homem calado estavam iluminados. A princípio, trocávamos olhares entre nós aqui e ali. Depois de um tempo, paramos, focando toda a atenção apenas no rosto do Viajante do Tempo.

A
Máquina
do Tempo

Wells

III

"Na última quinta-feira, expliquei a alguns dos senhores os princípios da Máquina do Tempo. Também apresentei a máquina em si, ainda incompleta na oficina. Ela está lá agora — um pouco desgastada pelo uso, é verdade. Uma das barras está rachada e uma das proteções de latão envergou, mas de resto está inteira. Minha expectativa era terminar de construí-la na sexta-feira; na sexta, porém, quando a montagem já estava quase finalizada, descobri que uma das barras de níquel tinha exatos dois centímetros e meio a menos do que deveria, e portanto precisaria ser refeita. Assim, só terminei os reparos hoje cedo. A primeira de todas as Máquinas do Tempo foi inaugurada às dez horas da manhã de hoje. Fiz os últimos ajustes, apertei todos os parafusos de novo, coloquei mais uma gota de lubrificante no eixo de quartzo e me sentei no selim. Imagino que um suicida com a pistola na cabeça sinta, em relação ao que vem a seguir, ansiedade semelhante à minha naquele momento. Coloquei uma das mãos na alavanca de partida e a outra na de parada, empurrei a primeira e, quase imediatamente, empurrei também a segunda. Senti um puxão, uma sensação de queda digna de pesadelo e, ao olhar ao redor, o laboratório me pareceu idêntico. Será que algo havia acontecido? Por um momento, suspeitei ter caído em algum truque da mente — mas então notei o relógio. No que parecia o momento anterior, os ponteiros apontavam cerca de um minuto depois das dez. Quando olhei de novo, porém, já era quase três e meia da tarde!

"Respirei fundo, cerrei os dentes, agarrei a alavanca de partida com as duas mãos e a empurrei com tudo. O laboratório girou e ficou escuro. A sra. Watchett entrou e, aparentemente sem me ver,

caminhou em direção à porta do jardim. Acho que ela demorou cerca de um minuto para atravessar o cômodo; mas, a mim, pareceu que disparou pelo recinto como um foguete. Afundei a alavanca até a posição final. A noite veio tão rápido quanto um apagar das luzes, e no momento seguinte a manhã nasceu. O laboratório ficou baço e desfocado, e depois cada vez mais baço. A noite seguinte chegou, escura, e depois outro dia, e outra noite, e outro dia, tudo cada vez mais rápido. O zumbido de algo rodopiando preencheu meus ouvidos, e uma estranha confusão entorpecida tomou-me a mente.

"Temo não poder expressar as sensações peculiares de viajar no tempo, mas digo que são por demais desagradáveis. É exatamente como estar em uma atração de parque de diversões, em plena queda livre! Também senti a expectativa horrível de uma colisão iminente. Conforme ganhei velocidade, a noite passou a se alternar com o dia como o ruflar de uma asa preta. A silhueta do laboratório na penumbra pareceu então evanescer, e vi o sol saltitando com rapidez no céu, atravessando-o a cada minuto, e a cada minuto marcando um dia. Supus que o laboratório estivesse destruído, de forma que me vi ao relento. Tive uma vaga impressão de avistar andaimes, mas já avançava rápido demais para distinguir qualquer movimento de objetos. Até a mais lenta lesma a se arrastar pelo mundo passaria como um raio por mim. A sucessão lampejante de luz e escuridão era dolorosa aos olhos. Então, na escuridão intermitente, vi a lua passando rápido pelas fases, de nova até cheia, e tive vislumbres do percurso circular das estrelas. Em seguida, conforme eu ainda ganhava velocidade, a palpitação do dia em alternância com a noite se transformou em um contínuo estado cinzento. O céu assumiu um tom admirável de azul profundo, uma esplêndida cor luminosa similar ao início do crepúsculo. Os solavancos do sol assumiram a forma de um rastro de fogo, um arco brilhante no espaço, e a lua virou uma faixa flutuante cada vez mais fraca. Deixei de ver as estrelas, exceto, aqui e ali, um círculo faiscando contra o azul.

"A paisagem era nebulosa e vaga. Eu ainda estava na encosta do monte sobre o qual esta casa foi erigida, e o topo dele se erguia acima de mim, cinzento e sombrio. Vi árvores crescendo e trocando as folhas como baforadas de fumaça, ora marrons, ora verdes. Elas cresciam, se espalhavam, tremulavam e sucumbiam. Vi arranha-céus enormes se erguerem, vagos e formosos, e depois desaparecerem como sonhos. Toda a superfície da terra parecia transformada — derretendo-se e fluindo diante de meus olhos. Os pequenos ponteiros que registravam minha velocidade nos mostradores rodopiavam cada vez mais rápido. Depois de certo tempo, notei que a faixa que indicava o sol passara a oscilar para cima e para baixo, indo de solstício a solstício em um minuto ou menos, o que consequentemente significava que eu estava avançando a mais de um ano por minuto. E, minuto a minuto, o branco da neve lampejava pelo mundo, depois sumia para dar lugar ao verde vibrante e efêmero da primavera.

"As sensações desagradáveis do começo do processo ficaram menos intensas. No fim, todas se mesclaram em uma espécie de êxtase histérico. Notei a máquina balançando de forma desajeitada, mas fui incapaz de precisar o porquê. Minha mente, no entanto, estava confusa demais para se concentrar nesse fato; com uma espécie de loucura se abatendo sobre mim, atirei-me em direção à futuridade. No começo mal pensava em parar, mal pensava em qualquer outra coisa além daquelas novas sensações. Mas, logo em seguida, uma série fresca de impressões — uma certa curiosidade e, com ela, um certo temor — passaram a dominar minha mente, até enfim tomarem posse completa de mim. Que estranhos desdobramentos da humanidade, que admiráveis avanços de nossa civilização rudimentar, pensei, não poderiam aparecer quando eu analisasse mais de perto o mundo tênue e esquivo que disparava e flutuava diante de meus olhos! Vi obras arquitetônicas enormes e esplêndidas se erguerem ao meu redor — eram maiores do que qualquer construção de nosso tempo; mas, ainda assim, pareciam feitas de névoa e puro brilho. Notei um verde cada vez mais rico crescer encosta acima e lá permanecer, sem intromissão nenhuma do inverno. Mesmo através do meu véu de confusão, a terra parecia muito bela. E, assim, enfim cogitei parar.

"O risco peculiar residia na possibilidade de encontrar alguma substância no espaço que eu ou a máquina ocupássemos. Contanto que viajasse em alta velocidade pelo tempo, isso não seria problema; eu estava, por assim dizer, atenuado, passando como um gás pelos poros da matéria que se opunha a meu movimento, mas parar envolvia o risco de acabar me mesclando, molécula a molécula, a qualquer coisa que estivesse no caminho. Meus átomos entrariam em um contato tão íntimo com os do obstáculo que uma profunda reação química, provavelmente uma vasta explosão, surgiria como resultado e, assim, atiraria a mim e ao meu aparato para todas as dimensões possíveis, rumo ao Desconhecido. Essa possibilidade me ocorrera diversas vezes durante a construção da máquina, mas em algum ponto eu alegremente aceitara aquilo como inevitável, como um dos riscos que um homem precisa assumir! Mas ali, com tal risco tão iminente, não via mais a situação sob a mesma ótica alegre. O fato é que minha insensibilidade, a estranheza absoluta de todas as coisas, o sacolejar, os rangidos da máquina e, acima de tudo, a sensação de uma eterna queda me fizeram perder a coragem. Cheguei à conclusão de que nunca conseguiria interromper a viagem e, em um lapso de petulância, decidi simplesmente parar sem pestanejar. Como um tolo impaciente, debrucei-me sobre a outra alavanca. A máquina freou descontrolada, cambalhotando para a frente, e fui lançado no ar.

"Um som de trovão retumbou nos meus ouvidos. Devo ter ficado atordoado por um momento. Uma tempestade implacável caía ao meu redor, e me vi sentado na turfa macia diante da máquina. Tudo ainda parecia cinzento; mas, no instante seguinte, percebi que não ouvia mais aquela cacofonia. Olhei ao redor. Eu estava no que parecia ser um pequeno gramado em um jardim, cercado por moitas de rododendros cujas flores roxas e violetas despencavam aos montes ao serem atingidas pelo granizo. As pedras de gelo quicavam e dançavam em uma nuvem ao redor da máquina, espalhando-se pelo chão como fumaça. Em segundos, eu estava encharcado até os ossos. 'Que bela hospitalidade', falei, 'considerando que sou um homem que viajou por incontáveis anos para ver este lugar.'

"Logo pensei em como era tolo por ficar na chuva daquele jeito. Levantei-me e olhei ao redor. Uma estátua colossal, esculpida no que parecia ser pedra branca, assomava-se de forma indistinta em meio dos rododendros, através da precipitação nebulosa. De resto, não conseguia enxergar mais nada do mundo.

"É difícil descrever o que senti. Quando as colunas da tempestade de granizo começaram a amainar, vi a estátua branca em mais detalhes. Era muito grande, visto que uma bétula de folhas prateadas encostava em seu ombro. Parecia feita de mármore branco e lembrava uma esfinge alada; porém, em vez de as asas se estenderem verticalmente ao lado do corpo, haviam sido representadas abertas, de modo a fazê-la parecer em pleno voo. O pedestal era de bronze, aparentemente, e estava quase todo coberto de azinhavre. Por coincidência ela estava de frente para mim, dando a impressão de que os olhos cegos me observavam. Nos lábios, uma leve sugestão de sorriso. Estava bastante erodida pelas intempéries, e isso me transmitia uma sensação desagradável de doença. Fitei-a por algum tempo — meio minuto, quem sabe meia hora. Ela parecia avançar e retroceder quando a chuva ficava mais intensa ou mais fraca. Enfim, desviei os olhos dela por um instante e percebi que a tempestade abrandava, e que o céu se abria com a promessa de sol.

"Ergui o olhar de novo para mirar a figura branca, e todos os medos que sentia em relação à viagem se abateram sobre mim de repente. O que surgiria quando a cortina de precipitação enfim cessasse? O que teria acontecido com a humanidade? E se a crueldade fosse algo comum? E se naquele intervalo de tempo nossa espécie tivesse perdido as características humanas e os espécimes fossem coisas monstruosas, sem compaixão e opressivamente poderosas? Talvez os seres humanos tivessem se transformado em animais selvagens como os de antigamente, só que mais terríveis e desagradáveis segundo nossa visão — criaturas horrendas que deveriam ser abatidas sem dó.

"Logo vi outras silhuetas amplas — construções enormes com peitoris intricados e colunas altas à beira de uma encosta arborizada que surgia perto de mim, cada vez mais visível conforme a chuva enfraquecia. Entrei em pânico. Voltei de imediato à Máquina do Tempo e me apressei a reajustá-la. Enquanto isso, raios de sol começaram a escapar pelas nuvens de chuva. A precipitação cinzenta foi varrida e sumiu como o rastro das vestes de um fantasma. Lá em cima, no azul intenso do céu estival, fiapos tênues de nuvens escuras rodopiavam antes de desaparecer. As construções grandiosas à minha frente ficaram mais claras e distintas, brilhando úmidas depois da tempestade e despontando brancas em meio ao granizo ainda não derretido que se acumulava pelos caminhos. Eu me senti nu naquele mundo estranho. Eu me senti como um pássaro deve se sentir ao voar sabendo que um falcão plana acima dele e está prestes a mergulhar. Meu medo se transformou em um frenesi. Respirei fundo, cerrei os dentes e, mais uma vez, tentei me agarrar à máquina com os braços e as pernas. Ela cedeu com minha tentativa desesperada de embarque e tombou. Uma peça atingiu meu queixo com violência. Fiquei ali arfando, com uma das mãos no selim e a outra na alavanca, com a intenção de subir de novo.

"Com essa recuperação da possibilidade de uma pronta retirada, porém, minha coragem pareceu retornar. Olhei com mais curiosidade e menos medo para aquele mundo do futuro remoto. Em uma abertura circular no alto da parede de uma construção mais próxima, notei um grupo de indivíduos de vestes refinadas e suaves. Eles tinham me visto, e olhavam na minha direção.

"Foi quando ouvi vozes se aproximando. Irrompendo dos arbustos próximos à Esfinge Branca, surgiram cabeças e troncos de homens correndo. Um deles emergiu na trilha que levava direto ao pequeno gramado em que eu estava com a máquina. Era baixo — com cerca de um metro e vinte de altura — e vestia uma túnica roxa, amarrada na cintura com um cinto de couro. Calçava sandálias ou coturnos, não pude discernir claramente. As pernas estavam expostas do joelho para baixo e era careca. Ao notar isso, notei também pela primeira vez como o ar era quente ali.

"Ele me pareceu muito belo e gracioso, mas indescritivelmente frágil. O rosto corado me lembrava o dos tísicos mais leves — a tal da beleza héctica da qual ouvimos falar tanto. Assim que o vi, recuperei de súbito a confiança e afastei as mãos da máquina."

A
Máquina
do Tempo
———
Wells

IV

"No momento seguinte, estávamos frente a frente, eu e aquele serzinho frágil da futuridade. Ele veio diretamente até mim e riu sem pestanejar. A ausência de qualquer sinal de medo me chamou a atenção de imediato. Em seguida, ele se virou para outros dois indivíduos que o seguiam e falou-lhes em um idioma estranho, muito doce e fluído.

"Outros vinham também, e logo fui cercado por um grupo de talvez oito ou dez dos pequeninos. Um deles se dirigiu a mim. Ocorreu-me, por mais estranho que pareça, que minha voz poderia soar ríspida e grave demais para eles; assim, neguei com a cabeça e, apontando para os ouvidos, neguei mais uma vez. O primeiro avançou um passo, hesitou e enfim tocou minha mão. Senti outros pequenos dedos roçando nas minhas costas e ombros. Eles pareciam querer confirmar que eu era real, e não havia qualquer coisa de alarmante naquilo. Na verdade, os belos sujeitinhos tinham algo que inspirava confiança — uma gentileza graciosa, uma certa tranquilidade infantil. Além disso, pareciam tão frágeis que era fácil me imaginar derrubando uma dezena deles de uma vez como se fossem pinos de boliche. Quando vi as diminutas mãos rosadas tocando na Máquina do Tempo, porém, fiz um gesto brusco para os repreender. Considerei um alívio não ser tarde demais para lembrar de um perigo do qual me esquecera até aquele momento — e, estendendo a mão por entre as barras da máquina, desrosqueei as pequenas alavancas usadas para colocá-la em movimento e as guardei no bolso. Em seguida, eu me virei mais uma vez para ver o que poderia ser feito em termos de comunicação.

"Quando observei o semblante dos seres com mais cuidado, notei outras peculiaridades naquele tipo de beleza que me fazia lembrar dos enfeites de porcelana Dresden. Seus cabelos, encaracolados por igual, terminavam de súbito na altura da nuca e das bochechas. Não ostentavam o menor sinal de barba e tinham orelhas particularmente pequeninas. Também tinham a boca diminuta, meros traços de um vermelho-vivo no lugar de lábios, além de queixo pequeno e pontudo. Os olhos eram grandes e doces e, no que pode parecer um egocentrismo de minha parte, imaginei que exibiam certa falta de interesse.

"Como não fizeram qualquer esforço para se comunicar comigo, e ficaram ao meu redor sorrindo e arrulhando baixinho uns para os outros, iniciei a conversa. Apontei para a Máquina do Tempo e depois para mim mesmo. Hesitei um pouco, pensando em como exprimir a passagem do tempo, e enfim apontei para o sol. Um estranho e belo sujeitinho de roupa xadrez de roxo e branco acompanhou meu gesto e em seguida me surpreendeu ao imitar o som de um trovão.

"Fiquei desconsertado por um instante, embora o significado do gesto fosse claro o suficiente. Uma pergunta me veio à mente de forma abrupta: será que aquelas criaturas eram estúpidas? É até difícil expressar como fiquei impactado com o pensamento. Ora, sempre imaginei que a humanidade do ano oitocentos e dois mil e alguma coisa estaria muito à nossa frente no que tange ao conhecimento, à arte, a tudo. Porém, lá estava um espécime me propondo um questionamento que o fazia parecer ter o intelecto de uma criança de cinco anos: pelo que entendi, me perguntava, vejam os senhores, se eu viera do sol trazido pela tempestade! Aquilo removeu as rédeas do julgamento que eu evitara fazer sobre eles com base em suas roupas, seu porte frágil e seu semblante delicado. Minha mente foi inundada pela decepção. Por um instante, a sensação foi a de ter construído a Máquina do Tempo em vão.

"Concordei com a cabeça, apontei para o sol e fiz uma imitação tão vívida de trovão que os assustei. Todos recuaram alguns passos e fizeram uma mesura. Depois um deles se aproximou de mim, rindo, e pendurou no meu pescoço uma guirlanda de flores lindas que eu nunca vira antes. A ideia foi recebida com aplausos entusiasmados, e logo estavam todos correndo de um lado para o outro em busca de flores, que depois passaram a atirar sobre mim às gargalhadas até quase me soterrarem. Os senhores, que jamais viram algo similar, mal podem imaginar a delicadeza e o esplendor das plantas que incontáveis anos de cultivo haviam criado. Em seguida, algum deles sugeriu que eu, seu novo joguete, fosse exibido na construção mais próxima, e assim me levaram além da esfinge de mármore branco — que parecia ter assistido a tudo rindo de meu espanto — até um amplo edifício cinza de pedra erodida. Enquanto caminhávamos, e para minha irresistível diversão, lembrei-me da expectativa confiante que tinha de uma posteridade profundamente séria e intelectual.

"O prédio tinha um portal enorme, que ornava com as dimensões colossais de todo o resto. Como seria natural, minha atenção se focou na multidão crescente de pessoinhas e nos gigantescos portões que se erguiam diante de mim, escuros e misteriosos. A impressão que tive ao olhar por sobre a cabeça dos pequeninos fora a de que o mundo se tratava de um ermo repleto de belas moitas e flores, como um jardim há muito negligenciado mas ainda livre de ervas daninhas. Vislumbrei longas hastes repletas de inflorescências brancas, de pétalas cerosas com talvez trinta centímetros de envergadura. Cresciam espalhadas, como se fossem silvestres, em meio a uma variedade de arbustos — mas já digo de antemão dessa vez que não as analisei tão de perto. A Máquina do tempo foi largada sozinha na turfa em meio aos rododendros.

"O arco da entrada era ricamente esculpido. Como os senhores podem imaginar, não pude analisar os entalhes com tanta atenção, mas achei ter visto sugestões de antigas inscrições fenícias enquanto passava por ele. Também me saltou aos olhos como estava danificado e desgastado pelo tempo. Várias outras criaturinhas em vestes vibrantes me receberam na passagem, e assim adentramos o lugar — eu com uma aparência grotesca nas minhas roupas encardidas do século XIX, adornado com flores e cercado por uma massa pulsante de túnicas em cores vivas e por braços e pernas de um pálido brilhante, embalada pelo redemoinho melodioso de risos e falas excitadas.

"O portal imenso levava a um salão proporcionalmente grande, repleto de heras amarronzadas que cresciam pelas paredes. O teto estava mergulhado em sombras; as janelas — algumas fechadas com vitrais, outras abertas por completo — deixavam entrar uma luz temperada. O chão era feito de blocos de algum metal muito duro — blocos mesmo, não placas ou ladrilhos. Estavam muito erodidos; supus que fosse pela passagem de pessoas ao longo de gerações, visto que havia sulcos profundos demarcando os caminhos mais habituais. Ao longo do salão, vi várias mesas de placa de pedra polida com cerca de trinta e poucos centímetros de altura e, sobre elas, havia pilhas e mais pilhas de frutas. Reconheci algumas como framboesas e laranjas hipertrofiadas, mas a maior parte me era estranha.

"Inúmeras almofadas jaziam espalhadas entre as mesas. Meus anfitriões se acomodaram sobre elas, gesticulando para que eu fizesse o mesmo. Começaram a comer as frutas com as mãos, sem a menor cerimônia, atirando cascas, sementes e afins em aberturas circulares ao lado das mesas. Não me fiz de rogado e segui o exemplo, pois estava sedento e esfomeado. Enquanto comia, examinei o recinto à vontade.

"A coisa que mais me chamou atenção foi o estado deteriorado do local. Os vitrais nas janelas, que consistiam apenas em padrões geométricos, estavam quebrados em vários pontos, e as cortinas penduradas na extremidade do cômodo, cobertas por grossa camada de poeira. Outro detalhe que me saltou aos olhos foi o canto quebrado da mesa de mármore mais próxima. O efeito geral era ao mesmo tempo rico e pitoresco ao extremo. Devia haver algumas centenas de pequeninos jantando no local — a maior parte deles, sentados tão próximos de mim quanto possível, observavam-me com interesse, os olhinhos brilhando por trás das frutas que comiam. Todos vestidos com roupas do mesmo sedoso tecido macio, embora robusto.

"Ao que parecia, sua dieta se resumia a frutas. Aquelas pessoas do futuro remoto eram vegetarianas estritas — e, enquanto estive com aquele povo, e a despeito da vontade de comer carne, tive de ser frugívoro também. Descobri depois que cavalos, bois, ovelhas e cães haviam seguido o caminho dos ictiossauros rumo à extinção. As frutas, porém, eram maravilhosas. Uma em particular — uma coisinha farinhenta em formato triangular que parecia ser da estação enquanto estive por lá — era especialmente boa, e fiz dela a base de minha alimentação. A princípio, fiquei intrigado com todas as frutas e flores estranhas que via, mas logo passei a apreciá-las.

"Ora, basta de falar sobre meu jantar no futuro distante. Assim que meu apetite foi em parte aplacado, decidi fazer uma tentativa resoluta de aprender a língua de meus novos companheiros. Era a próxima coisa óbvia a se fazer. As frutas me pareceram um bom ponto de partida e, erguendo uma delas, comecei a fazer uma série de sons e gestos interrogativos. Tive uma dificuldade considerável de transmitir o que queria. No começo, meus esforços despertaram apenas olhares de surpresa e gargalhadas intermináveis; mas, depois de algum tempo, um dos pequeninos de cabelo claro pareceu entender minha intenção e repetiu uma palavra. Eles passaram a conversar entre si, explicando uns aos outros o que estava acontecendo, e minhas primeiras tentativas de repetir os sons peculiares daquela linguagem foram fonte de imensa diversão. Eu me sentia um professor em meio a um grupo de crianças, então persisti e acabei chegando a uma série de substantivos (até onde entendi, pelo menos), depois a alguns pronomes demonstrativos e até mesmo ao verbo "comer", mas o processo era lento, os pequeninos logo ficaram cansados e enfim demonstraram a vontade de se livrar de meus questionamentos. Assim determinei, mais por necessidade do que por qualquer outra coisa, que seria melhor deixar me ensinarem a língua aos poucos, conforme se sentissem inclinados — e logo percebi que seria bem aos poucos mesmo, pois nunca vi povo tão indolente ou facilmente fatigável quanto aquele.

"Algo curioso que logo descobri sobre meus anfitriões foi sua falta de interesse. Vinham até mim com exclamações empolgadas de assombro, como crianças; mas, assim como elas, logo paravam de me analisar e saíam em busca de outra diversão qualquer. Terminados o jantar e minha sessão inicial de conversação, notei pela primeira vez que quase todos que me cercavam antes haviam partido. Outra estranheza foi que demorei muito pouco para ignorar os pequeninos. Saí pelo portal e voltei ao mundo ensolarado assim que satisfiz minha

fome. Encontrava sem parar mais e mais pessoinhas do futuro, que me observavam de longe, conversavam, riam de mim e, depois de sorrir e gesticular de forma amigável, deixavam-me em paz.

"A tranquilidade do fim da tarde já inundava o mundo quando saí do grande salão, o cenário iluminado pelo brilho cálido do pôr do sol. No início as coisas eram muito confusas; era tudo diferente demais do mundo que eu conhecia, até mesmo as flores. A grande construção que eu deixara para trás ficava no aclive de um vale amplo por onde passava o rio, mas o Tâmisa havia se deslocado cerca de um quilômetro e meio, creio eu, em relação a sua posição atual. Resolvi subir ao topo de um monte a uns dois quilômetros dali, de onde poderia ter uma vista mais abrangente de nosso planeta no ano de Oitocentos e Dois Mil, Setecentos e Um d.C. — pois esse, devo explicar, era o ano indicado nos pequenos mostradores de minha máquina.

"Conforme caminhava, tentava absorver cada detalhe que me ajudasse a explicar a condição de esplendor arruinado em que encontrei o mundo — pois "arruinado" é como estava. Um pouco acima na colina, por exemplo, havia uma grande pilha de granito emaranhado a massas de alumínio, um vasto labirinto de paredes caindo aos pedaços e montes disformes em meio a amontoados espessos de plantas lindas que pareciam pagodes — algum tipo de urtiga, imagino, mas de folhas belamente tingidas de marrom e sem a propriedade de causar ardência. Aquelas eram, sem dúvida, as ruínas abandonadas de alguma estrutura ampla, construída para um propósito que eu era incapaz de determinar. Era ali que eu estaria destinado a, mais tarde, ter uma experiência estranhíssima — a primeira insinuação de uma descoberta ainda mais estranha —, mas falarei disso no momento apropriado.

"Em um terraço no qual parei para descansar um pouco, olhei ao redor e, de súbito, notei algo: não havia construções pequenas à vista. Ao que parecia, o conceito de casa individual, e possivelmente de lar, não existia mais. Aqui e ali, em meio à vegetação, era possível ver algumas construções similares a palácios — mas as casas e os chalés que hoje são tão característicos das paisagens inglesas haviam desaparecido.

"'Comunismo', disse a mim mesmo.

"Outro pensamento veio com esse. Mirei a meia dúzia de pequeninos que me seguiam e, num lampejo, percebi que todos usavam o mesmo tipo de roupas, tinham o mesmo rosto imberbe e o mesmo corpo de curvas mais femininas. Talvez seja estranho não ter percebido isso antes, mas tudo era por demais estranho. Naquele momento, então, vi com mais clareza: as pessoas do futuro — tanto nas roupas quanto nas características e no porte, elementos que hoje fazem com que diferenciemos um gênero do outro — eram todas iguais. E as crianças pareciam, aos meus olhos, meras miniaturas dos adultos. Supus, então, que os infantes daquela época eram extremamente precoces, pelo menos fisicamente — e mais tarde de fato encontrei muitas evidências para sustentar minha opinião.

"Vendo a tranquilidade e a segurança nas quais aquelas pessoas viviam, senti que a grande similaridade entre os gêneros era de se esperar — afinal de contas, a força do homem e a delicadeza da mulher, a instituição familiar e a diferença das ocupações de cada gênero são meras necessidades forçadas em uma era baseada na força física. Onde a população é balanceada e abundante, o nascimento de muitas crianças é mais um mal do que uma bênção para o Estado. Onde quase não há violência e os mais jovens estão protegidos, há menos necessidade — ou melhor, sequer há necessidade — de núcleos familiares eficientes, e a especialização dos gêneros no que diz respeito à criação dos filhos desaparece. Mesmo em nosso tempo já vemos alguns sinais disso, e naquela era entendi que tal transformação já se completara. Isso, devo lembrar aos senhores, foi minha especulação na ocasião. Mais tarde, porém, descobriria como a ideia estava longe da realidade.

"Enquanto refletia sobre tais ideias, minha atenção foi atraída por uma linda estrutura pequenina, uma espécie de poço embaixo de uma cúpula. Refleti de forma muito breve sobre a estranheza configurada pela existência de poços e depois voltei ao fio da meada de meus pensamentos. Não havia prédios grandes na direção do topo da colina e, como meus poderes de deslocamento eram evidentemente milagrosos ao olho dos pequeninos, fui enfim deixado sozinho pela primeira vez. Com uma estranha sensação de liberdade e aventura, continuei subindo até o topo do aclive.

"Ali, encontrei um trono feito de metal amarelo que não reconheci, corroído em alguns pontos por uma espécie de ferrugem rosada e meio coberto por musgos delicados. Os apoios para os braços haviam sido forjados e esculpidos de forma a terminar no que parecia uma cabeça de grifo. Sentei-me no trono e fitei a paisagem ampla de nosso estranho mundo sob o ocaso daquele longo dia. Foi a vista mais doce e agradável que já tive na vida. O sol já se pusera no horizonte, e o oeste brilhava em um dourado flamejante, arrematado por faixas horizontais púrpuras e carmins. Lá embaixo ficava o vale do Tâmisa, no qual o rio se estendia como um filamento de aço polido. Como já comentei, havia grandes palácios espalhados em meio à vegetação variada, alguns em ruínas e outros ainda em uso. Aqui e ali, uma silhueta rosada, branca ou prateada irrompia do meio do jardim abandonado que era aquele lugar, e aqui e ali era possível distinguir a protuberância vertical de alguma cúpula ou obelisco. Não havia cercas, placas de propriedade privada ou evidências de terras cultivadas — o planeta todo se transformara em um jardim.

"Enquanto observava, comecei a criar minhas interpretações das coisas que vira. Contarei as conclusões conforme me ocorreram naquela noite (embora, depois, tenha descoberto que cheguei apenas a uma meia-verdade — ou melhor, a não mais do que um vislumbre de uma das facetas da verdade).

"A mim parecia que eu encontrara a humanidade em seu declínio. O crepúsculo avermelhado me fez pensar no crepúsculo da raça humana. Pela primeira vez, comecei a perceber uma consequência peculiar do esforço social no qual estamos engajados neste momento — e, pensando bem, por mais peculiar que seja, ela é lógica o bastante. A força é uma consequência da necessidade, e portanto a segurança cobra um ágio em forma de debilidade. A busca pela melhoria das condições de vida — os verdadeiros processos civilizatórios que tornam a vida cada vez mais segura — chegara a seu ápice. A humanidade unida triunfara repetidas vezes sobre a Natureza. Coisas que agora não passam de sonhos tinham se tornado projetos deliberadamente colocados em prática e levados adiante. O que eu via eram os seus frutos!

"Afinal, o saneamento e a agricultura da atualidade ainda se encontram em estado rudimentar. A ciência de nosso tempo resolveu apenas uma pequena parte das enfermidades humanas — e, mesmo assim, ampliamos nossos domínios de forma estável e persistente. Nossa agricultura e horticultura eliminam ervas daninhas aqui e ali e têm sucesso em cultivar talvez umas vinte e tantas espécies de vegetal de forma saudável, deixando a maior parte delas para lutar e se equilibrar como conseguirem. Melhoramos nossas plantas e animais favoritos — e eles são poucos — por meio da seleção artificial: de vez em quando surge um pêssego mais gostoso, ou uma uva sem semente, ou uma flor maior e de perfume mais doce, ou uma raça mais conveniente de gado. Nós os melhoramos de forma gradual porque nossos ideais são vagos e baseados em tentativa e erro, e nosso conhecimento, muito limitado. A própria Natureza é acanhada e lenta em nossas mãos desajeitadas. Algum dia, isso será mais bem organizado, e melhorará cada vez mais. Essa é a tendência das correntes, apesar da subida e da descida das marés. O mundo todo será inteligente, educado e cooperativo, e as coisas avançarão cada vez mais rápido na direção da subjugação da Natureza. E, enfim, ajustaremos de forma sábia e cuidadosa o equilíbrio de plantas e animais para que se adequem melhor às necessidades humanas.

"O que penso é que, ao longo do tempo que eu saltara com a máquina, tais ajustes haviam sido feitos, e bem-feitos — aliás, feitos em definitivo para todo o Tempo. O ar estava livre de insetos, e a terra, livre de ervas daninhas e fungos. Havia frutas e flores doces e agradáveis por todos os lados, e belas borboletas voavam pelo ar. O ideal da medicina preventiva fora alcançado. As doenças haviam sido erradicadas. Não vi evidência alguma de moléstias contagiosas ao longo de minha estadia — e mais tarde devo contar aos senhores como até o processo de putrefação e de deterioração haviam sido afetados profundamente por tais mudanças.

"Triunfos sociais também haviam sido alcançados. Encontrei a humanidade acomodada em abrigos esplêndidos, vestidas em roupas gloriosas e, até aquele momento, não os vira trabalhando. Não havia sinais de dificuldades — nem sociais nem econômicas.

A compra e a venda, as propagandas, o tráfego e todo o tipo de comércio que constituem o corpo de nosso mundo haviam sido extintos. Foi natural, naquele entardecer dourado, embarcar na ideia de um paraíso social. A dificuldade de aumentar a população se tornara uma realidade, supus, e com isso a população parara de crescer.

"Mas com tal mudança de condições, vêm adaptações inevitáveis à mudança. Qual, a menos que a ciência biológica seja uma sucessão de erros, pode ser a causa da inteligência e do vigor humanos? Dificuldade e liberdade: condições em que os mais ativos, fortes e hábeis sobrevivem, enquanto os mais fracos são eliminados — condições que cobram um preço em troca da aliança de pessoas capazes na forma de comedimento, paciência e decisão. E a instituição da família, assim como as emoções decorrentes dela — o ciúme intenso, o carinho pelas crias e a devoção dos pais —, encontravam justificativa e apoio nos perigos iminentes a que estavam submetidos os mais jovens; mas e *agora*? Onde estão esses perigos iminentes? Há um sentimento emergente, e que crescerá cada vez mais, contrário ao ciúme conjugal, à maternidade compulsória e às paixões de todos os tipos. São coisas desnecessárias agora, coisas que fazem de nós seres desconfortáveis, sobreviventes selvagens, em desarmonia com uma vida refinada e agradável.

"Pensei na fragilidade física daquele povo, em sua falta de inteligência e nas enormes e abundantes ruínas que vira, e aquilo reforçou minha crença na conquista completa da Natureza — pois após a batalha vem a Calmaria. A humanidade tinha sido forte, enérgica e inteligente, e usara toda sua abundante vitalidade para alterar as condições em que vivia. E ali estavam as consequências de tais alterações.

"Sob novas condições de conforto e segurança perfeitos, a energia inquieta que hoje para nós é força se tornaria fraqueza. Mesmo nesta nossa época, algumas tendências e desejos que um dia foram necessários à sobrevivência são uma constante fonte de fracasso. Coragem física e amor pela batalha, por exemplo, não são mais de grande ajuda ao humano civilizado — podem até mesmo ser obstáculos. E em um estado de equilíbrio físico e de segurança, o poder — tanto intelectual quanto físico — pode ser inadequado. Julguei que não houvera, por inúmeros anos, o perigo da guerra ou de violência pontual, não houvera ameaça de feras selvagens ou de doenças arrasadoras que exigissem uma constituição resistente ou necessidade de trabalho árduo. Para uma vida dessas, o que hoje chamamos de fracos estão tão bem equipados quanto os fortes, e assim deixam de ser fracos. Na verdade, estão ainda mais bem equipados, pois nessas circunstâncias os fortes estão fadados a se afligir por uma energia para a qual não há válvula de escape. Sem dúvida, a beleza rara das construções que vi era resultado dos últimos lapsos de energia da humanidade, então desnecessária e que acabou se acomodando em perfeita harmonia nas condições em que se vivia — o florescimento do triunfo que deu início à última grande paz. Esse sempre foi o destino da energia em tempos de segurança: ela é direcionada à arte e ao erotismo, e depois disso vem a languidez e a decadência.

"Mesmo tal ímpeto artístico algum dia definhará — de fato, quase definhara no Tempo que vi. Adornar-se com flores, dançar e cantar ao sol era o que parecia ter sobrado de qualquer espírito artístico, e nada mais. Creio que mesmo isso acabe evanescendo em inatividade satisfeita. Hoje, o que nos mantém afiados é a pedra de amolar da dor e da necessidade; mas, até onde eu podia ver, essa odiosa pedra de amolar fora quebrada enfim!

"Parado ali, na escuridão crescente, achei que com essa conclusão simples eu havia entendido de uma vez por todas o problema do mundo — entendido o absoluto segredo daquele povo delicioso. Era possível que os freios divisados para conter o aumento populacional tivessem sido muito bem-sucedidos e que, depois disso, a população houvesse diminuído em vez de se manter estacionária. Isso justificaria as ruínas abandonadas. Minha explicação era muito simples e bastante plausível — como são a maioria das teorias erradas!"

A Máquina do Tempo
Wells

V

"Enquanto eu refletia sobre aquele triunfo mais do que perfeito da humanidade, a lua cheia, amarela e orbicular surgiu em meio a um transbordo de luz prateada a nordeste. Os serezinhos vivazes pararam de perambular lá embaixo, uma coruja silenciosa passou planando e tremi com o frio da noite. Decidi descer e encontrar um lugar para dormir.

"Procurei a construção que tinha visitado. Meus olhos correram pela figura da Esfinge Branca em seu pedestal de bronze, a silhueta cada vez mais clara conforme a luz da lua ascendente ganhava em brilho. Podia ver a bétula prateada atrás da estátua. Ali estavam as moitas emaranhadas de rododendros, escuras sob a luz baça, junto ao pequeno gramado. Olhei para o gramado de novo. Uma incerteza estranha arrefeceu minha complacência. 'Não', disse, firme, para mim mesmo. 'Não é aquele gramado.'

"Mas *era* aquele gramado, pois o rosto branco e desfigurado da esfinge estava voltado para ele. Conseguem imaginar o que senti quando a convicção se abateu sobre mim? Não, não conseguem. A Máquina do Tempo não estava mais lá!

"Fui atingido de uma vez, como uma chibatada no rosto, pela possibilidade de perder o acesso à minha própria época, de ser abandonado naquele estranho mundo novo. O simples pensamento parecia uma sensação física. Podia senti-lo apertando minha garganta e me impedindo de respirar. No momento seguinte, tomado pelo medo, eu já descia a colina aos saltos. Caí de cara no chão e cortei o rosto, mas não perdi tempo limpando o sangue. Em vez disso, saltei de pé e voltei a correr, sentindo o gotejar quente escorrer pela bochecha e pelo queixo. Enquanto corria, repetia para mim mesmo: 'Eles devem ter tirado a máquina do lugar e a empurrado debaixo das moitas para tirá-la do caminho'; mesmo assim, corri como se não houvesse esperança. Durante todo o tempo, tomado pela certeza que às vezes segue um grande pavor, sabia que tentar consolar a mim mesmo era tolice; sabia instintivamente que a máquina fora tirada de mim. Passei a respirar com dificuldade. Creio que percorri a distância entre o topo da colina e o pequeno gramado — pouco mais de três quilômetros — em cerca de dez minutos, e sabem que já não sou mais jovem. Praguejava em voz alta enquanto corria, gastando fôlego para censurar a tolice confiante que me fizera deixar a máquina sozinha. Berrei, mas ninguém respondeu. Não parecia haver movimento algum naquele mundo enluarado.

"Quando alcancei o gramado, meus piores medos se provaram verdadeiros. Não havia vestígio algum da máquina. Senti fraqueza e frio enquanto encarava o espaço vazio entre os emaranhados de moitas escuras. Corri de um lado para o outro, desesperado, como se ela pudesse estar escondida em algum canto. Enfim parei de súbito, puxando os cabelos. Acima de mim, a esfinge se assomava sobre seu pedestal de bronze — alva, brilhante e desfigurada sob o luar crescente. Ela parecia rir e zombar de meu desalento.

"Se não tivesse certeza quanto à inadequação física e intelectual dos pequeninos, talvez eu tivesse buscado consolo na ideia de que poderiam ter guardando o mecanismo para mim em algum lugar. Foi isto que me desalentou: a sensação de um poder do qual eu sequer desconfiara até então, agora responsável por sumir com minha invenção. Contudo, eu tinha uma certeza: a menos que alguém em outra época tivesse produzido uma réplica idêntica, a máquina não poderia ter se movido no tempo. O encaixe das alavancas — posso mostrar o método aos senhores mais tarde — evitava qualquer tentativa de adulteração do mecanismo depois de removidas. A máquina fora tirada dali e estava escondida, mas apenas no espaço. Ora, onde poderia estar?

"Acho que entrei em uma espécie de frenesi. Lembro-me de disparar loucamente por entre as moitas ao redor da esfinge e de assustar um animal branco que, sob a luz do luar, tomei por um pequeno veado. Também me lembro de, mais tarde naquela noite, socar os arbustos até ficar com os nós dos dedos cortados e sangrando pelo contato com os gravetos quebrados. Depois, soluçando e delirando de angústia, segui até o grande prédio de pedra. O enorme salão estava escuro, silencioso e deserto. Tropecei no piso irregular e caí sobre uma das mesas de malaquita, o que quase me fez quebrar o queixo. Acendi um fósforo e atravessei as cortinas empoeiradas que há pouco mencionei aos senhores.

"Ao passar por elas, deparei-me com um segundo salão coberto de almofadas, sobre as quais umas vinte e tantas pessoinhas dormiam. Sem dúvida devem ter achado minha segunda aparição ainda mais estranha, pois surgi do nada na escuridão silenciosa emitindo ruídos inarticulados e carregando o crepitar da luz de um fósforo aceso — um item que a humanidade não conhecia mais. 'Onde está minha Máquina do Tempo?', comecei, choramingando como uma criança birrenta, estapeando e chacoalhando os sujeitinhos. Deve ter sido uma cena muito estranha para eles. Alguns riram, mas a maioria apenas pareceu assustada. Quando os vi acordados ao meu redor, percebi que, tentando reviver neles a sensação de medo, estava fazendo também a coisa mais tola possível naquelas circunstâncias; pois, com base no comportamento que tinham demonstrado durante o dia, eu achava que tinham esquecido o que era esse sentimento.

"Assoprei o fósforo de repente e, derrubando um dos pequeninos no processo, voltei aos tropeços para o salão de jantar, iluminado pelo luar. Ouvi gritos de terror e os passos deles correndo e se debatendo de um lado para o outro. Não lembro tudo o que fiz enquanto a lua ocupava o céu. Creio que foi a natureza inesperada de minha perda que me enlouqueceu. Sentia-me separado de modo irremediável de meus iguais — um animal estranho em um mundo desconhecido. Devo ter delirado, gritando e lamentando com Deus e com o Destino. Tenho lembranças de uma horrível fadiga conforme a noite de desespero avançava, de vasculhar todos os cantos daquele lugar impossível, de tatear as ruínas iluminadas pelo luar e de esbarrar em criaturas estranhas escondidas nas sombras escuras. Enfim, lembro de me deitar no chão debaixo da esfinge e chorar, tomado pelo mais completo desconsolo. Tudo o que me restava era sofrer. Acabei dormindo e, quando acordei, já era dia. Alguns pardais saltitavam na turfa ao meu redor, ao alcance de minha mão.

"No frescor da manhã, sentei-me e tentei me lembrar de como chegara até ali, e por que sentia tamanho abandono e desespero. Foi quando as coisas voltaram à minha mente com clareza. Sob a franca e razoável luz do dia, eu poderia enfrentar minhas circunstâncias. Vi como fora tolo o frenesi da madrugada e pude pensar com meus botões. 'Que tal supor o pior?', propus a mim mesmo. 'Suponha que tenha perdido a máquina totalmente — destruída, talvez? Com isso, o melhor é ficar calmo e ser paciente, aprender os costumes desse povo, tentar ter uma ideia clara de como se deu a perda e pensar nos meios de conseguir materiais e ferramentas. Pode ser até que eu seja capaz de construir outra máquina.' Aquela talvez fosse minha última esperança, mas ainda era melhor que o desespero. E, afinal de contas, aquele era um mundo belo e curioso.

"A maior probabilidade era que a máquina tivesse sido apenas levada para outro lugar. Mesmo assim, eu precisava manter a calma e ser paciente, descobrir onde ela estava escondida e recuperá-la, fosse pela força ou pela astúcia. E, com isso, levantei-me e olhei ao redor, procurando um lugar onde pudesse me banhar. Estava cansado, tenso e sujo. O frescor da manhã me fazia querer desejar um frescor igual. Minhas emoções estavam exauridas. De fato, enquanto me lavava, eu me peguei pensando na intensa excitação da noite. Depois, fiz uma análise cuidadosa do chão ao redor do pequeno gramado. Dando meu máximo para me comunicar, gastei certo tempo fazendo perguntas inúteis a alguns pequeninos que se aproximaram. Nenhum deles entendeu meus gestos — alguns pareciam simplesmente impassíveis, enquanto outros aparentemente me achavam uma piada e riam. Precisei fazer um grande esforço para manter os punhos longe daqueles belos rostinhos risonhos. Era um impulso bobo, mas o diabrete nascido do medo e da raiva cega estava mal contido e ainda ansioso por tirar vantagem de minha perplexidade. A turfa me ajudou mais — encontrei um sulco marcado na grama, mais ou menos no meio do caminho entre o pedestal da esfinge e as marcas de meus passos onde, pouco depois de minha chegada, eu me debatera para levantar a máquina tombada. Havia outros sinais que apontavam para a remoção da máquina, como pequenas pegadas tais quais as que eu imaginava serem as de um bicho-preguiça. Aquilo atraiu minha atenção para o pedestal. Ele era, como creio ter dito, feito de bronze. Não era um mero bloco e sim uma estrutura muito decorada, com profundos painéis emoldurados em todos os lados. Aproximei-me e dei algumas batidinhas nele. O pedestal era oco. Examinando os painéis com cuidado, descobri que não eram contínuos. Não havia maçanetas ou fechaduras, mas era provável que os painéis — portas, como supus que fossem — abrissem de dentro para fora. Parecia óbvio o que tinha acontecido, e não precisei de muito esforço mental para inferir que a Máquina do Tempo fora levada para dentro do pedestal. Como eu entraria ali já era outra história.

"Vi a cabeça de dois pequeninos vestidos de laranja chegando por entre as moitas, passando sob algumas macieiras floridas enquanto vinham na minha direção. Sorri para eles e fiz um gesto pedindo que se aproximassem. Eles chegaram mais perto e, em seguida, apontando para o pedestal de bronze, tentei transmitir o desejo de que o abrissem. Eles, no entanto, reagiram de forma muito estranha aos meus sinais. Não sei como explicar aos senhores a expressão que fizeram. Pensem em alguém dirigindo gestos grosseiros e impróprios a uma mulher sensível — a reação que ela teria equivale à deles. Eles foram embora como se tivessem recebido o mais ofensivo dos insultos. Tentei de novo com um sujeitinho de aparência doce e vestes brancas, mas obtive exatamente o mesmo resultado. Por alguma razão, o comportamento dele fez com que eu me sentisse envergonhado de mim mesmo. Contudo, como já devem imaginar, eu queria muito recuperar a Máquina do Tempo, então tentei mais uma vez. Quando ele se virou e foi embora como os outros dois, perdi a paciência. Fui atrás dele e, depois de três passadas largas, agarrei-o pela gola ampla e comecei a arrastá-lo na direção da esfinge. Quando vi o horror e a repugnância em seu olhar, eu o soltei de imediato.

"Mas não me dei por vencido. Soquei algumas vezes os painéis de metal. Pensei ter ouvido movimento lá dentro — para ser mais específico, pensei ter ouvido risadas —, mas depois concluí que devia ser um engano. Em seguida, peguei uma pedra grande na beira do rio, cheguei mais perto e a usei para bater nos painéis até amassar os ornamentos e o azinhavre descamar e se desfazer em pó. O delicado povo dos pequeninos decerto me ouviria golpear o pedestal em surtos a quilômetros de distância em todas as direções, mas nada aconteceu. Vi um grupo grande deles no alto do aclive, olhando-me furtivamente. Enfim, suado e cansado, sentei-me para observar os arredores. Estava inquieto demais para observar por muito tempo, porém — sou deveras ocidental para me prestar a vigílias longas. Eu era capaz de trabalhar em um problema por anos, mas esperar sem fazer nada por vinte e quatro horas já era outra coisa.

"Levantei-me depois de certo tempo e comecei a caminhar sem destino por entre as moitas na direção da colina. 'Paciência', disse a mim mesmo. 'Se quiser a máquina de novo, terá de deixar a esfinge em paz por enquanto. Se a intenção deles for ficar com ela, socar os painéis de bronze não vai ajudar em nada. Se a intenção não for essa, porém, você vai consegui-la de volta assim que for capaz de pedir. Ficar sentado em meio a tantas coisas desconhecidas tendo um quebra-cabeças desse diante de si é inútil. É assim que nasce a monomania. Encare este mundo. Aprenda como ele funciona, observe-o, tome o cuidado de não tirar conclusões precipitadas. No final, vai acabar descobrindo as pistas que o farão entender tudo.' E assim, de repente, a ironia daquela situação tomou-me a mente. Pensei nos anos que tinha gastado estudando e me esforçando para ir para o futuro e em como lá estava eu agora, todo ansioso em deixá-lo. Tinha me enfiado na mais complicada e desesperadora armadilha já concebida pela humanidade. Embora eu mesmo fosse o alvo da troça, era incapaz de não tirar sarro da situação. Gargalhei alto.

"Perambulando pelo palácio, senti que os pequeninos me evitavam. Podia ser coisa da minha imaginação, ou talvez se relacionasse com os golpes que eu dera nos portões de bronze. De toda forma, tinha quase certeza de que me evitavam. Tratei, no entanto, de não dar atenção a eles. Desisti de procurá-los e, em um ou dois dias, as coisas voltaram ao normal. Progredi tanto quanto pude com o aprendizado da língua, e estendi minhas explorações aqui e ali. Ou não entendi direito ou a linguagem daquele povo era de extrema simplicidade, composta quase toda de substantivos concretos e verbos. Parecia haver poucos termos abstratos — ou nenhum —, além de um uso escasso de linguagem figurativa. As sentenças eram geralmente diretas e formadas por duas palavras, e eu não conseguia compreender ou usar qualquer proposição além das mais triviais. Tentei confinar as ideias sobre a Máquina do Tempo e o mistério das portas de bronze em um canto da minha mente o máximo que pude, até que meu conhecimento cada vez maior me levasse de volta àquela questão naturalmente. De toda forma, alguns pensamentos, que os senhores certamente hão de entender, faziam com que eu me mantivesse limitado a um círculo de alguns quilômetros de diâmetro ao redor do ponto de minha chegada.

"Até onde eu podia ver, o mundo inteiro ostentava a mesma riqueza exuberante que eu encontrara no vale do Tâmisa. Do alto de todas as colinas em que subia, via a mesma abundância de construções esplêndidas, de uma variedade infinita de materiais e estilos, além dos mesmos bosques verdejantes e das mesmas árvores floridas e repletas de samambaias. Aqui e ali um curso d'água resplandecia como prata; na direção do horizonte, o solo se erguia na forma de ondulantes colinas azuladas que depois se mesclavam à serenidade do céu. Uma característica particular que sempre atraía minha atenção era a existência de poços circulares — vários, ao que me parecia, e todos muito profundos. Havia um deles na encosta do monte que eu escalara na minha primeira caminhada. Como os outros, tinha uma borda de bronze, adornada de forma curiosa, e era protegido da chuva por uma pequena cúpula. Não via o brilho indicativo de água quando me aproximava dos poços e espiava escuridão adentro, e a luz dos fósforos que eu acendia tampouco era refletida pelo fundo. De todos eles, porém, vinha o mesmo som: um *tum-tum-tum*, como o ruído de algum motor em funcionamento. Além disso, observando a chama dos fósforos, descobri que uma corrente constante de ar entrava nos fossos. Em algum momento, joguei um pedacinho de papel na boca de um deles e, em vez de descer flutuando devagar, ele foi sugado para dentro e sumiu de vista num piscar de olhos.

"Depois de um tempo, passei também a ligar os poços às torres altas que se erguiam aqui e ali em meio ao relevo — pois, no topo delas, com frequência notava um mormaço tremulante, como aquele que se vê rente à areia de uma praia ensolarada em um dia quente. As duas coisas juntas resultavam na forte sugestão de um sistema extenso de ventilação subterrânea, cuja verdadeira função era difícil de imaginar. Primeiro fiquei inclinado a associá-lo a o sistema sanitário daquele povo. Era uma conclusão óbvia — mas redondamente equivocada.

"E neste ponto devo admitir que aprendi muito pouco sobre esgotos, comunicações, meios de transporte e afins durante meu tempo no futuro real. Encontrei grande quantidade de detalhes sobre construções, relações sociais e afins em algumas versões de Utopias e propostas de tempos vindouros que já li. A questão é que, embora tais detalhes sejam fáceis de se obter quando o mundo inteiro está contido na mente de quem escreve, são totalmente inacessíveis a um viajante em meio a tais realidades como as que eu encontrava. Pense em um nativo da África Central visitando Londres e depois voltando para sua tribo! O que ele saberia dizer sobre companhias ferroviárias, movimentos sociais, redes de telefonia e de telégrafo, empresas transportadoras, serviços de correio e coisas do gênero? Isso considerando que pelo menos teríamos a disposição de explicar as coisas a ele. E, de toda forma, esse camarada pouco viajado entenderia ou acreditaria em qual parcela do que ouvisse? Agora pense em como é estreita a diferença entre um nativo da África e um homem europeu, ambos de nosso próprio tempo, e compare com o abismo que havia entre mim e aquele povo da Era de Ouro! Eu percebia muitas coisas invisíveis e que contribuíam para meu conforto; mas, exceto por uma impressão geral de organização automática, temo ser incapaz de transmitir aos senhores muito sobre as diferenças entre nosso mundo e aquele.

"Tomemos, por exemplo, o destino dos cadáveres: não vi nenhum sinal de crematórios ou nada que sugerisse a existência de túmulos — mas me ocorreu que podia haver cemitérios (ou crematórios) em algum lugar fora do limite de minhas explorações. Essa foi outra questão que propus a mim mesmo de forma deliberada, e toda a minha curiosidade se rendeu a ela. Era algo que me incomodava, e me levou a notar outro aspecto que me perturbou ainda mais: não havia idosos ou doentes naquele povo.

"Devo confessar que a satisfação com minhas primeiras teorias sobre uma civilização inconsciente e uma humanidade decadente não durou muito — mas eu não era capaz de pensar em outras hipóteses. Minhas dificuldades eram as seguintes: os vários palácios amplos que eu havia explorado eram meros locais de moradia, grandes salões de jantar e aposentos onde os pequeninos dormiam. Não encontrei maquinários ou ferramentas de nenhum tipo. Ainda assim, as pessoinhas se vestiam com peças de roupa feitas de tecidos, que certamente precisavam ser trocadas de tempos em tempos. Seus calçados, embora simples, eram sem dúvida resultado de uma fabricação industrial de relativa complexidade. As coisas tinham de ser feitas de alguma forma, e aquele povo não apresentava vestígio algum de tendências criativas. Tampouco havia lojas, oficinas ou sinal de comércio entre eles. Passavam o tempo se divertindo, tomando banho no rio, fazendo amor de maneira meio brincalhona, comendo frutas e dormindo. Eu não conseguia entender como as coisas se mantinham.

"O que me levava de volta à Máquina do Tempo: algo, e eu não sabia o que, havia carregado a máquina para dentro do pedestal oco da Esfinge Branca. *Por quê?* Eu não tinha a menor ideia, por tudo o que é mais sagrado. E aqueles poços sem água? E aqueles pilares com mormaços tremulantes? Sentia que me faltava uma pista. Eu sentia... como posso dizer? Imaginem que os senhores descobriram uma inscrição com frases escritas aqui e ali em um excelente e claro inglês, mas misturadas a palavras inventadas e até mesmo a caracteres totalmente desconhecidos. Como se sentiriam? Bem, no meu terceiro dia de visita, era assim que eu me sentia em relação ao mundo em Oitocentos e Dois Mil, Setecentos e Um!

"Naquele mesmo dia, acabei fazendo uma amiga — ou algo parecido. Estava observando alguns pequeninos se banharem em uma área rasa do rio quando uma deles pareceu sentir uma cãibra e começou a flutuar rio abaixo. A corrente era bem rápida, mas não parecia forte demais nem mesmo para um nadador médio. Assim, uma boa maneira de lhes dar uma ideia da estranha inutilidade daquelas pessoinhas é dizer que nenhuma fez sequer o mínimo esforço de tentar resgatar a que se afogava aos gritos bem diante de seus olhos. Quando percebi isso, tirei as roupas com pressa e, adentrando a água em ponto mais abaixo do rio, consegui agarrá-la e arrastá-la até a segurança da terra firme. Ela voltou a si depois que esfreguei um pouco seus membros, e com satisfação, antes de ir embora, vi que ela estava bem. Eu esperava tão pouco daquele povo que sequer tive esperanças de receber sinais de gratidão — mas eu estava errado.

"Isso aconteceu pela manhã. À tarde, encontrei a mulherzinha — pois cheguei à conclusão de que era uma — enquanto voltava à minha base depois de uma exploração. Ela me recebeu com exclamações satisfeitas e me presenteou com uma grande guirlanda de flores — evidentemente feita para mim, e apenas para mim. Aquilo me comoveu. Era provável que estivesse me sentindo sozinho. De qualquer forma, tentei fazer o meu melhor para demonstrar como gostara do presente. Em pouco tempo, estávamos sentados juntos sob um pequeno pergolado de pedra, absortos em uma interação quase toda resumida a sorrisos. O jeito amigável da pequenina me afetou da mesma forma exata que a aproximação de uma criança o faria. Trocamos flores, e ela beijou minhas mãos. Fiz o mesmo com as dela. Em seguida, arrisquei falar e descobri que ela se chamava Weena — embora eu ainda não soubesse o significado da palavra, o nome de alguma forma me pareceu apropriado. Foi o começo de uma peculiar amizade que durou uma semana, e terminou… bem, como vou contar aos senhores!

"Ela parecia uma criança, sem tirar nem pôr. Queria ficar perto de mim o tempo todo. Tentava me seguir por onde eu ia e, quando parti na minha jornada seguinte, com dor no coração, fiz com que ela se cansasse e a abandonei, exausta e chamando por mim de forma melancólica. Eu precisava entender as questões daquele mundo, porém. Disse a mim mesmo que não fora até o futuro para me envolver em um flerte em miniatura — mas o estresse dela quando a deixei foi enorme, e sua reação a nossa separação beirou o frenesi. Acho, de maneira geral, que a devoção que tinha por mim era tanto um problema quanto um conforto. A princípio, acreditei ser mera afeição infantil o motivo de seu apego à minha pessoa. Tarde demais, entendi com total clareza o que infligira a ela quando a deixara. E, também tarde demais, entendi com total clareza o que ela significava para mim — pois, ao parecer se afeiçoar, e demonstrando de seu próprio jeito fraco e fútil que se importava comigo, a criatura que mais parecia uma bonequinha dava ao meu retorno à região da Esfinge Branca uma sensação de voltar para casa. Assim que chegava à colina, já me pegava procurando pela pequenina vestida de branco e dourado.

"Também foi com ela que aprendi que o medo de fato ainda existia naquele mundo. Ela era muito destemida durante o dia, e tinha uma confiança peculiar em mim. Certa vez, fiz caretas ameaçadoras para ela, e ela apenas riu. Por outro lado, tinha pavor da escuridão, das sombras, de coisas escuras. De tudo, a escuridão era o que mais a aterrorizava. Era uma emoção particularmente apaixonada, e me fez parar para pensar e observar. Descobri então, entre outras coisas, que os pequeninos se juntavam nos salões depois do pôr do sol e dormiam amontoados. Entrar no recinto sem levar uma luz era receita certa para provocar um tumulto apreensivo. Depois do anoitecer, nunca encontrei um deles ao relento, ou sequer dormindo sozinho dentro de alguma construção — fui tão estúpido, porém, que ignorei o que aquele medo tinha a ensinar; não satisfeito, insisti em continuar dormindo separado das multidões sonolentas apesar do nervosismo de Weena.

"Isso a incomodava demais; mas, no fim, a afeição incondicional que tinha por mim triunfou: em todas as cinco noites depois de nos conhecermos, inclusive na última, ela dormiu com a cabeça acomodada no meu braço — mas estou me desviando da história ao falar sobre ela. Enfim, foi na que penso ter sido a noite anterior a seu resgate que acordei pouco antes da aurora. Estava inquieto, tendo um pesadelo horrível em que me afogava, e as anêmonas do mar cobriam meu rosto com seus palpos macios. Despertei sobressaltado, com a sensação esquisita de que um animal cinzento acabara de sair pela porta do grande aposento. Tentei voltar a dormir, mas me sentia agitado e desconfortável. Era aquela hora da madrugada em que as coisas estão começando a se esgueirar para fora da escuridão, quando tudo é descolorido e destacado de forma nítida, e ainda assim irreal. Levantei-me, desci até o salão e subi na laje diante do palácio. Achei por bem tirar algo de bom da situação, e decidi assistir ao nascer do sol.

"A lua já se punha. O luar moribundo e a primeira palidez do alvorecer se misturavam para formar uma penumbra sinistra. As moitas estavam pretas como piche; o chão, coberto de um cinza sombreado; o céu, descolorido e desanimado. Pensei ver fantasmas no topo do monte. Por três vezes analisei o aclive, e nas três vi vultos brancos. Em duas imaginei ver uma criatura alva e solitária com aparência símia correndo com considerável rapidez colina acima, e na outra pensei vislumbrar, perto das ruínas, um trio desses mesmos bichos arrastando um corpo escuro. Eles se moviam apressados. Não consegui acompanhar para onde foram, mas pareceu-me que tinham sumido para dentro da vegetação. A iluminação da hora ainda deixava tudo indistinto, peço que entendam. Fui tomado por aquela sensação arrepiante e incerta típica do princípio da manhã, que os senhores devem conhecer. Duvidei de meus olhos.

"Enquanto o céu a leste clareava, a luz do dia nascia e a coloração vívida retornava ao mundo, escrutinizei a paisagem com atenção. Não vi vestígio algum dos vultos brancos, porém. Eram meras criaturas da penumbra. 'Devem ser fantasmas', disse a mim mesmo. 'De que época será que são?' Pensei nisso pois lembrei de um conceito peculiar de Grant Allen que acho muito engraçado. Se cada geração morre e deixa fantasmas, argumenta ele, a certa altura o mundo ficará superlotado deles. Segundo tal teoria, a população de espíritos seria incontável no ano de Oitocentos e Dois Mil, Setecentos e Um — e, sendo assim, não seria nada admirável ver quatro ao mesmo tempo, mas a piada não pegou muito bem, e passei a manhã pensando naqueles seres até o resgate de Weena expulsar a questão de minha mente. Eu os associava de forma meio vaga ao animal branco que afugentara na minha primeira busca desesperada pela Máquina do Tempo, mas Weena foi uma agradável substituta daquela reflexão — e, de qualquer forma, os seres estavam destinados a logo dominar meus pensamentos de forma muito mais fatal.

"Creio que já contei como o clima na Era de Ouro era muito mais quente do que em nosso tempo. Não sei como explicar. Talvez o sol estivesse mais aquecido, ou a Terra, mais próxima do Sol. Considera-se, em geral, que o Sol vai se resfriar ao longo do tempo. As pessoas, porém, pouco familiarizadas com especulações como as do jovem Darwin, esquecem que os planetas enfim mergulharão, um por um, na direção da estrela que orbitam. Quando tal catástrofe acontecer, o sol brilhará com energia renovada — é possível que isso já tivesse sucedido com algum planeta mais próximo. Qualquer que seja a razão, é fato que o sol no futuro era muito mais quente do que hoje.

"Bem, em dada manhã muito quente — minha quarta ali, se não estou enganado —, ao procurar um abrigo para me proteger do calor e depois de vislumbrar o resplandecer de uma ruína colossal perto da grande construção onde eu dormia e comia, aconteceu algo estranho: enquanto escalava por entre os resquícios dos prédios, encontrei uma galeria estreita, cujas janelas da extremidade e da lateral estavam bloqueadas por pilhas de pedras caídas. Em contraste ao exterior brilhante, o interior me pareceu impenetravelmente escuro a princípio. Entrei tateando, e o contraste de luz e sombras fez pontinhos dançarem diante de meus olhos. Subitamente, como se enfeitiçado, parei no lugar. Um par de olhos, refletindo a luz lá de fora, observava-me da escuridão.

"O velho e instintivo medo de criaturas selvagens se abateu sobre mim. Fechei os punhos e encarei resoluto o par de globos oculares brilhantes. Tive medo de me virar. Foi quando me veio à mente a recordação da absoluta segurança em que aquela humanidade parecia estar vivendo. E, em seguida, lembrei-me do estranho pavor que os pequeninos sentiam do escuro. Superando parte do medo, avancei um passo e perguntei quem estava ali. Admito que minha voz saiu rouca e trêmula. Estendi a mão e toquei em algo macio. Os olhos se moveram de imediato, e uma coisa branca passou correndo por mim. Virei, com o coração saindo pela boca, e vi disparar pelo espaço ensolarado atrás de mim uma estranha criaturinha símia, de cabeça baixa e comportamento peculiar. Ela trombou com um bloco de granito, cambaleou e, às pressas, escondeu-se na sombra escura sob outra pilha de alvenaria destruída.

"Minha impressão do acontecimento é imperfeita, claro. Sei, porém, que o bicho era de um branco pálido, e que tinha olhos grandes e estranhos de um vermelho-acinzentado. Também sei que tinha uma pelagem alourada no topo da cabeça e ao longo das costas. Mas, como já disse, passou rápido demais por mim para que eu pudesse

ver mais detalhes. Não fui capaz sequer de entender se ele andava sobre quatro patas ou se apenas tinha braços muito longos. Depois de esperar um pouco, eu o segui até o segundo monte de escombros. Não o encontrei a princípio, mas depois de um tempo mergulhado na profunda escuridão, deparei-me com uma daquelas aberturas redondas similares a poços sobre as quais lhes contei, meio coberta por um pilar caído. Tive uma ideia repentina: será que aquela coisa sumira pelo vão? Acendi um fósforo e, olhando para baixo, vi a criatura pequena, branca e inquieta, com grandes olhos vermelhos que me encaravam com firmeza enquanto recuava. Estremeci. Parecia uma aranha humana! Descia pela parede do poço e, pela primeira vez, vi vários apoios de metal para as mãos e para os pés formando uma espécie de escada que descia pelo vão. A chama do fósforo queimou meus dedos e o palito caiu, apagando-se na queda pelo poço. Quando acendi outro, o monstrengo já sumira.

"Não sei por quanto tempo encarei o interior do poço. Demorei para me convencer de que a coisa que vira era humana, mas aos poucos a verdade se abateu sobre mim: nossa espécie não permanecera única, e sim se diferenciara em dois animais distintos. Compreendi que minhas graciosas crianças do Mundo da Superfície não eram as únicas descendentes de nossa geração — aquela coisa descorada, obscena e noturna que fugira diante de meus olhos era também herdeira de todas as eras que já passadas.

"Pensei nos pilares encimados pelo mormaço e na minha teoria de um sistema subterrâneo de ventilação. Comecei enfim a suspeitar de sua real utilidade. Onde, eu me perguntei, aquele diabrete se encaixava no meu esquema de uma organização perfeitamente equilibrada? Como se relacionava à serenidade indolente dos belos seres do Mundo da Superfície? E o que se escondia ali, no fundo daquele poço? Sentei-me no parapeito dizendo a mim mesmo que, para todos os efeitos, não havia o que temer, e que eu precisava descer para encontrar a solução de meus problemas. Contudo, lá estava eu, com um medo profundo de ir! Enquanto hesitava, dois belos seres do Mundo da Superfície vieram correndo ao sol na direção da sombra, daquela maneira de amorosa brincadeira que lhes era particular. O homenzinho seguia a parceira, arremessando flores em sua direção enquanto ela corria.

"Pareceram tensos ao me ver com o braço apoiado no pilar tombado, olhando para dentro do vão. Ao que parecia, era considerado falta de educação espiar por uma daquelas aberturas; pois, quando apontei para ela e tentei formular uma questão no idioma deles, ficaram ainda mais nervosos do que antes e se viraram para ir embora, mas demonstraram interesse por meus fósforos, e eu acendi alguns para diverti-los. Tentei perguntar de novo sobre o poço, e de novo falhei. Logo decidi ir embora, com a intenção de voltar até Weena e descobrir o que podia extrair dela. Minha mente, contudo, já estava em polvorosa: minhas suspeitas e impressões escorregavam e se acomodavam em um novo arranjo. Eu enfim tinha uma pista sobre a importância daqueles poços, das torres que emanavam calor e do mistério dos fantasmas — isso sem falar dos indícios sobre o significado dos portões de bronze e o paradeiro da Máquina do Tempo. E, de forma muito vaga, pensei em uma sugestão de solução ao problema econômico que me intrigava.

"A conclusão à que cheguei foi a seguinte: claramente, aquela segunda espécie de novo ser humano vivia debaixo da terra. Havia três circunstâncias em particular que me faziam pensar que sua rara aparição na superfície era resultado de um hábito subterrâneo prolongado. Primeiro, sua aparência pálida, comum à maioria dos animais que vivem majoritariamente no escuro — por exemplo os peixes brancos das cavernas do Kentucky. Além disso, os olhos enormes, com grande capacidade de refletir a luz, eram características recorrentes em seres noturnos — vide as corujas e os gatos. E, por fim, a evidente confusão com o sol, a pressa desajeitada que fizera um deles correr em direção à escuridão e a postura peculiar da cabeça quando saíra à luz reforçavam a teoria de uma extrema sensibilidade da retina.

"Assim, sob meus pés, a terra devia ser toda escavada por túneis que formavam o habitat daquela nova espécie. A presença de saídas de ventilação e poços espalhados pela colina — na verdade por todos os lugares, exceto ao longo do vale do rio — provava como as ramificações daquela rede eram universais. O que seria mais natural, portanto, do que presumir que era naquele Mundo Subterrâneo artificial que o trabalho necessário para o conforto do povo da superfície era realizado? A ideia me pareceu tão plausível que a aceitei de imediato, e passei para as especulações sobre *como* se dera aquela diferenciação nas espécies humanas. Ouso dizer que os senhores já têm uma ideia geral de minha teoria — eu mesmo, no entanto, logo senti que ela estava longe da verdade.

"A princípio, partindo dos problemas de nossa própria época, parecia-me claro como a luz do dia que o alargamento gradual da distância entre os Donos do Capital e os Operários — em nossa era, algo meramente temporário e social — era a resposta para toda aquela diferenciação. Sem dúvida soará grotesco, talvez até inacreditável ao extremo, mas mesmo agora há circunstâncias que já apontam nessa direção. Há uma tendência de utilizar espaços subterrâneos para os propósitos menos ornamentais da civilização — peguemos a Ferrovia Metropolitana de Londres, por exemplo, que tem novas linhas férreas elétricas, metrôs, lojas e restaurantes subterrâneos, que só crescem e se multiplicam. Era evidente, pensei eu, que essa tendência havia se estendido, e que a indústria perdera pouco a pouco o direito de funcionar ao relento. O que quero dizer é que supus que as fábricas devem ter ficado cada vez mais profundas e cada vez maiores, com os operários gastando cada vez mais tempo lá embaixo até que... Enfim! Mesmo agora, trabalhadores de locais mais ao leste não vivem em condições artificiais que praticamente os isola da superfície natural do planeta?

"Voltando ao raciocínio: as tendências exclusivas de pessoas ricas — devido, sem dúvida, ao refinamento cada vez maior de sua educação e ao consequente alargamento do abismo entre elas e a violência rude dos pobres — já estão levando ao fechamento de partes consideráveis da superfície, sempre segundo os interesses dessas pessoas. Pensando em Londres, por exemplo: talvez metade da área mais bonita desta terra já tenha sido cercada e protegida contra invasões. E esse mesmo abismo cada vez mais largo — que, por sua vez, deve-se à extensão e aos custos dos processos de educação superior, além de ao aumento do número de estabelecimentos destinados aos hábitos dos mais ricos e das tentações que levam a eles — tornará cada vez menos frequente não só o relacionamento entre as classes, como também o progresso social por meio de casamentos entre os grupos que, no presente momento, ainda retardam a separação de nossa espécie em linhas diferentes de estratificação social. Assim, ao fim, sobre a superfície ficariam os Têm Tudo, atrás de prazer, conforto e beleza, enquanto embaixo da terra estariam os Têm Nada, os Operários, que se adaptam aos poucos às condições de seu trabalho. Uma vez lá, sem dúvida teriam de pagar uma taxa — que não seria pequena — em troca da ventilação de suas cavernas. Caso se recusassem, morreriam de fome ou seriam soterrados por dívidas. Dentre eles, os que tivessem a natureza miserável e rebelde morreriam. No fim, alcançado o equilíbrio permanente, os sobreviventes passariam a se adaptar às condições da vida subterrânea e ficariam tão satisfeitos com seu modo de vida quanto o Povo da Superfície com o seu. A meu ver, a beleza refinada de um dos grupos e a palidez estiolada do outro tinham sido consequências naturais disso.

"O grande triunfo da Humanidade tal qual eu sonhara assumiu outro formato na minha mente. Não fora um triunfo de educação moral e cooperação geral, como eu imaginara. Na verdade, o que eu via era uma verdadeira aristocracia, armada com uma ciência perfeita e trabalhando de forma lógica com o sistema industrial atual. O triunfo não fora apenas sobre a Natureza, mas sobre a Natureza e sobre seus semelhantes humanos. Essa, devo alertar aos senhores, foi minha teoria na época. Eu não tinha comigo nenhum cicerone conveniente, como os *personagens* dos livros utópicos. Minha explicação pode muito bem estar completamente errada. Ainda acho que é a mais plausível; mas, mesmo nessa nova suposição, a civilização equilibrada que enfim fora alcançada já ultrapassara seu ápice e agora estava em decadência. A segurança perfeita demais do povo do Mundo da Superfície os levara a um lento movimento de degeneração — um encolhimento geral em tamanho, força e inteligência. Isso eu já era capaz de ver com clareza. Ainda não tinha ideia do que acontecera com o Povo do Subterrâneo; no entanto, o que vira dos Morloques — que, a propósito, era o nome pelo qual as criaturas eram chamadas — já era suficiente para imaginar que sua modificação fora ainda mais profunda do que aquela dos Elóis, a bela raça que eu já conhecia.

"Foi quando surgiram pensamentos perturbadores. Por que os Morloques tinham pegado minha Máquina do Tempo? Pois eu tinha quase certeza de que tinham pegado. E por que os Elóis, sendo os mestres, eram incapazes de devolver a máquina a mim? E por que tinham tanto medo da escuridão? Como disse que faria, fui atrás de Weena para perguntar sobre o Mundo Subterrâneo, mas me decepcionei outra vez. No começo ela parecia não entender minhas perguntas, e em pouco tempo passou a se negar a respondê-las. Ela tremia como se o tópico fosse intolerável. Quando a pressionei, talvez com dureza demais, ela irrompeu em lágrimas. Foram as únicas, além das minhas próprias, que presenciei na Era de Ouro. Quando as vi, parei de imediato de perturbar a pequenina com perguntas sobre os Morloques, e minha única preocupação foi banir aqueles sinais da evolução humana dos olhos de Weena. Logo ela estava sorrindo e batendo palminhas enquanto eu queimava solenemente um fósforo."

A Máquina do Tempo
Wells

VI

"Pode parecer estranho para os senhores, mas se passaram dois dias antes que eu pudesse seguir de maneira apropriada a pista recém-encontrada. Eu sentia uma aversão peculiar por aqueles corpos pálidos. Tinham a exata cor meio empalidecida das minhocas, ou de seres que é possível ver preservados em frascos com formol nos zoológicos. Além disso, eram asquerosamente gélidos ao toque. Creio eu, minha aversão se devia principalmente à simpatia que eu sentia pelos Elóis, cujo desgosto pelos Morloques eu agora começava a compartilhar.

"Na noite seguinte, não dormi muito bem. Era provável que minha saúde estivesse um pouco afetada. Estava oprimido pela perplexidade e pela dúvida. Em duas ocasiões, senti um medo intenso sem motivo exato. Lembro de me esgueirar em silêncio até o grande salão onde os pequeninos dormiam sob o luar — naquela noite, Weena estava entre eles — e de me sentir seguro em sua presença. Ocorreu-me então que dali a alguns dias a lua passaria por sua última fase, e as noites ficariam cada vez mais escuras. Como consequência, aparições daquelas desagradáveis criaturas do subterrâneo — aqueles diabretes esbranquiçados, um novo tipo de praga que substituíra as antigas — seriam mais frequentes. Em ambas as vezes, senti a inquietação de quem se esquiva do dever inevitável. Eu tinha certeza de que a Máquina do Tempo só seria recuperada se eu mergulhasse de cabeça naqueles mistérios sob o solo — mas eu era incapaz de encará-los. Se ao menos tivesse uma companhia, as coisas teriam sido diferentes. Eu estava terrivelmente só, porém, e a mera ideia de adentrar a escuridão do poço me intimidava. Não sei se entendem meu sentimento, mas nunca me senti muito seguro.

"Acho que foi essa inquietude, essa insegurança talvez, que me fez começar a ir cada vez mais longe nas minhas expedições exploratórias. Quando fui para o sudoeste, na direção das terras mais elevadas que hoje conhecemos como Bosque de Combe, pude ver ao longe, perto da área que no século XIX é chamada de Banstead, uma ampla estrutura verde, com características muito diferentes das de outras construções que vira até então. Era maior do que os maiores palácios ou ruínas com que eu já me deparara, e a fachada tinha uma aparência oriental — o frontispício ostentava tanto o brilho quando o tom de verde-claro quase azulado de um determinado tipo de porcelana chinesa. Aquela diferença de aspecto sugeria também uma diferença de uso, e senti o ímpeto de ir além e explorar o local, mas o dia já estava se pondo, e eu vira a construção depois de já ter percorrido um caminho longo e cansativo. Assim, resolvi guardar a aventura para o dia seguinte, e voltei para a recepção calorosa e os carinhos da pequena Weena. Pela manhã, porém, percebi com perfeita clareza que minha curiosidade em relação ao Palácio de Porcelana Verde era puro autoengano — uma desculpa para que eu evitasse, por mais um dia, a experiência que tanto temia. Resolvi que desceria aos subterrâneos sem mais delongas e, bem cedo na manhã seguinte, parti em direção a um poço próximo às ruínas de granito e alumínio.

"A pequena Weena me acompanhou correndo. Saltitou ao meu lado até chegarmos ao poço, mas quando me viu inclinado sobre a beira e olhando para o fundo, pareceu estranhamente desconsertada. 'Adeus, Pequena Weena', disse e a beijei. Depois a coloquei no chão e me pendurei no parapeito a fim de alcançar os degraus metálicos. Quase de imediato, devo admitir, temi que minha coragem desaparecesse! A princípio a pequenina me olhou, abismada. Depois, deu o mais lamentável grito e, correndo até mim, começou a me puxar com as mãozinhas. Acredito que foi a oposição dela que me deu forças para continuar. Desvencilhei-me, talvez de forma estúpida demais e, no momento seguinte, estava na garganta do poço. Vi o rosto da pequena Weena apreensivo me fitando de lá de cima e sorri para tranquilizá-la. Em seguida, precisei olhar para baixo e prestar atenção nos apoios instáveis em que me segurava.

"Devo ter descido pelo que me pareceu quase duzentos metros. O único jeito de se deslocar por ali era usar as protuberâncias metálicas que se projetavam das paredes do poço. Sendo elas adaptadas às necessidades de criaturas muito menores e mais leves do que eu, logo senti cãibras e cansaço — mas quem dera tivesse sido só isso! Uma das barras cedeu de súbito sob meu peso, o que quase me fez despencar na escuridão. Por um instante, fiquei pendurado por uma só mão, e depois do incidente não ousei mais descansar. Embora sentisse uma dor aguda nos braços e nas costas, continuei descendo tão rápido quanto possível. Quando olhava para cima, distinguia a abertura lá em cima — um pequeno círculo azul em que era possível ver uma estrela e a cabecinha de Weena recortada como uma silhueta escura. O som do motor subterrâneo foi ficando cada vez mais alto e opressivo. Tudo além do disco iluminado se resumia a uma escuridão profunda; quando olhei para cima de novo, Weena desaparecera.

"O desconforto era uma agonia. Pensei em retornar, em subir pela passagem e deixar o Mundo Subterrâneo em paz; no entanto, mesmo remoendo essa ideia, continuei a descer. Enfim, e com imenso alívio, avistei uma brecha estreita na parede aproximando-se de mim de forma quase indistinta, a uns trinta centímetros à direita. Puxei-me para dentro dela e descobri que a abertura se estendia em um túnel horizontal no qual eu poderia me deitar e descansar. Aquilo veio em ótima hora: meus braços doíam, minhas costas estavam rígidas pelo esforço e eu tremia pelo medo constante de cair. Além disso, a escuridão sem fim me fazia forçar os olhos. O ar era tomado pelo zumbido e pelos estalidos do maquinário que parecia sugar o ar da superfície.

"Não sei por quanto tempo fiquei deitado. Despertei com uma suave mão tocando meu rosto. Sentei-me de súbito na escuridão e busquei meus fósforos. Acendi um deles às pressas e vi três das criaturas alvas e curvadas que vislumbrara lá em cima, perto das ruínas, fugindo da luz. Por viverem no que para mim parecia uma escuridão impenetrável, tinham olhos anormalmente grandes e sensíveis — similares aos dos peixes abissais, e que refletiam a luz da mesma forma. Não tive dúvida de que podiam me ver naquele breu e que, fora a aversão à luz, não tinham medo algum de mim. Porém, assim que acendi outro fósforo para enxergá-las melhor, as criaturas dispararam pelos fossos e túneis sombrios e de lá passaram a me fitar furiosamente da maneira mais bizarra.

"Tentei chamá-los, mas ao que parecia falavam uma língua diferente da do povo do Mundo da Superfície. Assim, fui inevitavelmente abandonado à minha própria sorte, e o pensamento de fugir antes de continuar explorando ainda me rondava. Contudo, disse a mim mesmo: 'Agora não tem mais jeito'. Então, tateando pelo túnel ao avançar, percebi que o tal ruído de algo mecânico ficava cada vez mais alto. As paredes enfim se alargaram, e logo me vi em um grande espaço aberto. Acendi outro fósforo e percebi que havia adentrado uma vasta caverna abobadada, que se estendia em uma escuridão completa além dos limites de minha luz. A visibilidade era tão somente aquela fornecida pelo fósforo.

"Minha memória com certeza é vaga. Grandes formas que pareciam máquinas enormes se estendiam pela penumbra, projetando grotescas sombras escuras nas quais os Morloques de aparência espectral se protegiam da luz. O lugar, a propósito, era abafado e opressivo, e o leve cheiro de sangue fresco pairava no ar. Um pouco além da área central havia uma pequena mesa de metal branco, posta com o que aparentava ser uma refeição — os Morloques decerto eram carnívoros! Mesmo naquele momento, lembro de me perguntar que grande animal poderia ter sobrevivido para fornecer um pernil vermelho como o que vi. Tudo me parecia muito indistinto: o odor pungente, as grandes formas incertas, os vultos obscenos espreitando das sombras e apenas esperando a escuridão para voltarem a investir contra mim! Foi quando o fósforo se apagou e, queimando meus dedos, caiu, um pontinho vermelho sumindo na escuridão.

"Desde então penso em como estava particularmente mal equipado para uma experiência daquelas. Quando comecei a construir a Máquina do Tempo, pressupus de forma absurda que a humanidade do futuro certamente estaria muito à nossa frente em todos os quesitos. Parti sem armas, sem remédios, sem o que fumar — às vezes sentia uma falta imensa do tabaco! — e sem ter sequer uma boa quantidade de fósforos. Se pelo menos tivesse pensado em levar uma Kodak...!

Poderia ter batido uma foto do Mundo Subterrâneo em um instante e depois examiná-la a meu bel prazer. A verdade, porém, é que só tinha ali as armas e os poderes com os quais a Natureza me agraciara: mãos, pés e dentes, além dos quatro fósforos de emergência que ainda me restavam.

"Tive medo de continuar avançando no escuro em meio àquele maquinário todo, e foi só no último segundo de luz que notei meu estoque de palitos de fósforos perto do fim. Nunca me ocorrera até aquele momento que seria bom economizá-los, e gastara quase metade da caixinha divertindo o povo do Mundo da Superfície, para quem o fogo era uma novidade. Naquele momento, como já disse, restavam-me apenas quatro palitos. Senti uma palma tocando a minha, dedos esbeltos roçando no meu rosto e um odor peculiar e desagradável. Imaginei ouvir a respiração de uma multidão daqueles seres assustadores ao meu redor. Um deles tentou tirar a caixa de fósforos de minha mão bem devagar, e outros atrás de mim começaram a puxar minhas roupas. A sensação de ser examinado por criaturas que eu não via era desagradável de uma forma que não sou capaz de descrever. Ali, na escuridão, a percepção súbita de que eu não sabia nada sobre como aqueles bichos pensavam e agiam se abateu sobre mim de forma muito vívida. Gritei contra eles o mais alto que pude. Eles recuaram de susto, mas depois notei que se aproximavam de novo. Começaram a me cutucar de forma mais intensa, sussurrando sons estranhos uns para os outros. Eu tremia violentamente e gritei mais uma vez, a voz instável. Desta, eles não se assustaram muito, e passaram a soltar um estranho ruído similar a uma risada conforme voltavam a se aproximar. Confesso que fiquei muito assustado. Decidi riscar outro fósforo e escapar usando a proteção da luz. Assim o fiz. Queimei um papel que tinha no bolso para as chamas durarem mais e fugi o mais rápido que pude pelo túnel estreito. No entanto, mal tinha adentrado a passagem quando o fogo se apagou. No escuro, ouvi os Morloques farfalhando como folhas ao vento, correndo até mim com passos tamborilantes que lembravam o som da chuva.

"Logo fui agarrado por inúmeras mãos, e ficou claro que estavam tentando me arrastar de novo até a câmara. Acendi outro fósforo e o agitei diante dos rostos surpresos. Os senhores mal podem imaginar a aparência inumana nauseante que tinham — aquelas faces pálidas e sem queixo, aqueles olhos enormes cinza-rosados e sem pálpebras que me encaravam em cegueira e perplexidade, mas não fiquei para analisar, isso posso garantir. Recuei novamente e, quando meu segundo fósforo terminou, acendi o terceiro. Ele estava quase no fim quando cheguei à abertura que dava no poço. Deitei-me perto da borda, pois a vibração do motor lá embaixo me fazia sentir vertigens. Depois, tateei até achar as projeções metálicas. Quando as encontrei, alguns seres agarraram meu pé, e fui puxado para trás com violência. Risquei o último fósforo... e ele mal pegou, mas minha mão já estava nas barras e, chutando com violência, consegui me soltar das garras dos Morloques. Enquanto subia pelo poço a toda velocidade, eles me encaravam lá debaixo, piscando — exceto um maldito, que me seguiu por algum tempo e quase ficou com minha bota de troféu.

"A subida parecia interminável. Com os últimos cinco ou dez metros, veio uma náusea insuportável. Consegui continuar me segurando com muita dificuldade. O último trecho foi uma corrida desesperada contra o desmaio. Várias vezes senti a cabeça girar, e achei que cairia, mas enfim consegui sair pela boca do poço, e cambaleei para fora das ruínas sob o sol ofuscante. Desabei de cara no chão; até o cheiro da terra me pareceu doce e fresco. Depois disso, tudo o que me lembro é de Weena beijando minhas mãos e orelhas e das vozes de outros Elóis. Em seguida, caí inconsciente por algum tempo."

A Máquina do Tempo
Wells

VII

"De fato, minha situação parecia ter ficado pior do que antes. Até aquele momento, exceto durante minha angústia na noite em que notara o sumiço da Máquina do Tempo, eu acalentara a esperança de que acabaria escapando — mas tal esperança foi minada por novas descobertas. Até aquele momento, eu acreditava estar impedido apenas pela simplicidade infantil do povo dos pequeninos, e por alguma força desconhecida que eu superaria assim que a entendesse. Havia, no entanto, um elemento totalmente novo na repugnância característica dos Morloques — algo inumano e maligno. Eu os odiei de forma instintiva. Antes, eu me sentia como imagino que se sente alguém que caiu em um buraco: minha preocupação era com o próprio buraco e como sairia dele. Depois, passei a me sentir como um animal preso em uma armadilha, que seria abatido pelo inimigo muito em breve.

"O inimigo que eu temia pode surpreender os senhores, mas era a escuridão das noites de lua nova. Weena é que colocara esse pavor das Noites Escuras na minha cabeça depois de alguns comentários, a princípio incompreensíveis. Não foi muito difícil supor o significado desse período que se aproximava. A lua estava minguante: a cada noite que se passava, a escuridão durava mais. Eu enfim entendia, pelo menos um pouco, a razão do medo que o pequeno povo do Mundo da Superfície sentia da escuridão. Refleti vagamente sobre o tipo de vilania que os Morloques perpetravam sob a lua nova, e tive quase certeza de que minha segunda hipótese estava errada: o povo que habitava o Mundo da Superfície podia sim ter sido uma aristocracia privilegiada algum dia, tendo os Morloques como servos mecânicos, mas esse tempo já se fora havia muito. As duas espécies resultantes da evolução humana aproximavam-se de um tipo totalmente novo de relacionamento, ou talvez já tivessem chegado a ele. Os Elóis, como os reis carolíngios, haviam decaído a um estado de mera futilidade bela. Ainda possuíam domínio sobre a terra, pois os Morloques, transformados em seres subterrâneos após inúmeras gerações, haviam enfim chegado a um ponto de considerar a luz do sol intolerável. Além disso, inferi que os Morloques fabricavam as roupas dos Elóis e os mantinham em suas necessidades habituais, talvez pela sobrevivência de um velho hábito de servidão. Faziam aquilo pela mesma razão do cavalo ao patear o chão quando parado, ou do ser humano que extrai prazer ao matar animais por esporte: necessidades ancestrais e já perdidas haviam marcado seu organismo. Mas estava claro que parte da ordem anterior das coisas já fora revertida. A nêmese dos seres mais delicados se aproximava rápido. Eras antes, milhares de gerações antes, o ser humano exilara sua espécie irmã, expulsando-a de um lugar de tranquilidade e luz solar. E agora tal espécie voltava — mudada! Os Elóis já haviam começado a reaprender aquela antiga lição: estavam se familiarizando novamente com o Medo. E, de súbito, lembrei da carne que vira no Mundo Subterrâneo. Foi estranho como a memória me voltou flutuando à mente: não revirada à superfície como resultado da correnteza de minhas reflexões, mas quase como uma pergunta vinda de fora. Tentei me lembrar do formato do pernil. Tinha uma sensação vaga de algo familiar, mas naquele momento não consegui discernir o que era.

"Ainda assim, por mais desamparado que o povo dos pequeninos fosse em relação a seu Medo misterioso, eu era diferente. Eu chegara ali vindo desta nossa era, deste ápice da maturidade da raça humana, onde o Medo não paralisa e o mistério já perdeu todo o terror que inspirava. Eu pelo menos me defenderia. Sem mais demora, decidi me armar e montar um forte onde pudesse dormir. Com um refúgio como base, eu poderia encarar aquele mundo estranho com um pouco da confiança que perdera ao entender a que tipo de criatura vinha me expondo noite após noite. Senti que jamais voltaria a dormir até que arrumasse um leito protegido. Tremi de horror ao pensar em como eles já deviam ter me examinado.

"Passei a tarde vagando pelo vale do Tâmisa, mas não encontrei nenhum lugar que me parecesse impenetrável. Todas as construções e árvores pareciam facilmente acessíveis para criaturas hábeis em escalada — coisa que os Morloques, a julgar por seus poços, deviam ser. Foi quando os pináculos do Palácio de Porcelana Verde e o brilho polido das paredes me voltaram à memória. Naquela noite, carregando Weena sentada sobre meus ombros como se fosse uma criança, subi as colinas rumando na direção sudoeste. Antes achara que o palácio ficava a uns onze ou doze quilômetros dali, mas descobri que estava mais para uns trinta. Vira o lugar pela primeira vez em uma tarde de neblina, condição que faz as distâncias parecerem menores. Além disso, a sola de um dos meus sapatos estava solta, e um prego começava a despontar através da palmilha. Eram antigos sapatos confortáveis que eu usava apenas em casa, e por conta disso passei a mancar. Já passava muito da hora do pôr do sol quando vi o palácio, uma silhueta escura contra o amarelo-pálido do céu.

"A princípio, Weena adorara a ideia de ser carregada, mas depois de um tempo pediu para descer e começou a correr ao meu lado, parando aqui e ali para colher flores e as enfiar nos meus bolsos. Eles sempre intrigavam Weena, mas ela concluíra em algum momento que eram um tipo excêntrico de vasos para decorações florais — pelo menos era para tal propósito que ela os usava. Aliás, isso me lembra de uma coisa! Quando tirei o casaco, encontrei..."

O Viajante do Tempo então parou, colocou a mão no bolso e, em silêncio, depositou duas flores murchas — parecidas com grandes malvas brancas — sobre a mesinha. Em seguida, continuou a narrativa.

"Conforme a noite avançava sobre o mundo e seguíamos pelas colinas na direção de Wimbledon, Weena ficou cansada e quis voltar ao salão de pedra cinzenta; no entanto, apontei para as torres distantes do Palácio de Porcelana Verde e consegui fazê-la entender que iríamos nos abrigar do Medo naquele lugar. Sabem aquela grande pausa que recai sobre as coisas antes da madrugada? Até a brisa para de soprar as árvores. Para mim, essa imobilidade da noite sempre exala um ar de expectativa. O céu estava limpo, distante e vazio, exceto por algumas poucas faixas horizontais lá embaixo, na altura do horizonte. Bem, naquela noite a expectativa deu cor a meus

temores. Na calmaria cada vez mais escura, meus sentidos pareceram ficar aguçados de modo sobrenatural. Imaginei o chão todo escavado sob meus pés — era quase como se pudesse ver através dele os Morloques de um lado para o outro em seu formigueiro, esperando a escuridão chegar. No meu alvoroço, fantasiei que entenderiam minha invasão a seu covil como uma declaração de guerra. E por que haviam escondido minha Máquina do Tempo?

"Avancei em silêncio à medida que o crepúsculo se aprofundava até virar noite. O azul-claro à distância evanesceu, e as estrelas foram nascendo uma a uma. O chão foi coberto pela penumbra e as árvores ficaram pretas. O medo e o cansaço dominaram Weena. Eu a peguei no colo, disse que estava tudo bem e a acarinhei. Depois, conforme a escuridão se intensificava, ela colocou os braços ao redor do meu pescoço e, fechando os olhos, apertou o rosto no meu ombro. Assim seguimos por um declive na direção de um vale, e na pouca luz quase acabei caindo dentro de um riachinho. Atravessei por cima dele e comecei a subir a margem oposta. Passei por várias casas silenciosas e uma estátua — um Fauno ou algo similar, só que *sem* a cabeça. Também havia acácias. Até o momento, eu não vira nem sinal dos Morloques, mas era o início da noite e as horas mais escuras antes do nascer da lua minguante ainda estavam por vir.

"Da crista da colina seguinte, vi um bosque cerrado que se espalhava amplo e escuro diante de mim. Hesitei. Não conseguia ver onde terminava, nem à direita e nem à esquerda. Cansado — meus pés, em particular, estavam bem doloridos —, tirei Weena dos ombros e me sentei na turfa. Não conseguia mais ver o Palácio de Porcelana Verde, e tinha dúvidas sobre qual direção tomar. Encarei a floresta densa e me vi pensando no que ela poderia esconder. Sob o compacto emaranhado de galhos, seria impossível ver as estrelas. Mesmo que não houvesse nenhum outro perigo à espreita — nem sequer deixei minha mente divagar —, ainda haveria o risco de tropeçar nas raízes e trombar com os troncos das árvores.

"Também estava exausto por conta das emoções do dia, então decidi que não encararia aquele novo desafio e passaríamos a noite no topo da colina.

"Grato, notei que Weena já caíra no sono. Cobri-a cuidadosamente com meu casaco e me sentei a seu lado para esperar o nascer da lua. A encosta era silenciosa e deserta; aqui e ali, porém, eu podia ver a agitação de coisas vivas na floresta. As estrelas cintilavam acima de nós, o céu tão limpo como estava, e havia certa sensação de conforto amigável no seu brilho. No entanto, nenhuma das constelações que eu conhecia ocupava mais o céu: o movimento lento e imperceptível dos astros ao longo de centenas de vidas humanas já fizera com que tivessem se reorganizado em grupos desconhecidos. A Via Láctea, porém, parecia a mesma estrada de pó estelar de outrora. Ao sul — ou eu assim julgava —, era possível ver uma estrela vermelha muito resplandecente, nova para mim, e que parecia ainda mais esplêndida do que nossa Sirius esverdeada. Por fim, dentre todos os pontinhos luminosos, um planeta radiante reluzia gentil e firme como o rosto de um velho amigo.

"Olhar para aquelas estrelas apequenou de súbito meus problemas e todas as preocupações da vida terrena. Pensei na distância incalculável a que estavam de nós, e no lento, porém inevitável, deslocamento do passado desconhecido em direção ao futuro desconhecido. Pensei no grande ciclo de precessão que o polo terrestre descreve — a revolução silenciosa acontecera apenas quarenta vezes ao longo de todos os anos que eu pulara com a máquina. E, mesmo durante tais poucas voltas, toda a atividade, as tradições, as organizações complexas, as nações, as línguas, a literatura, as aspirações e mesmo a memória da raça humana como eu a conhecia haviam sido obliteradas da existência. Em vez de tudo isso havia aquelas criaturas frágeis que tinham esquecido de sua ancestralidade, e as Coisas brancas que tanto me aterrorizavam. Pensei então no Grande Medo que existia na relação entre as duas espécies e, pela primeira vez, com um arrepio súbito, entendi claramente de que animal era a carne que eu vira. Ainda assim, era algo horrendo demais! Olhei para a pequena Weena dormindo ao meu lado, o rostinho claro iluminado pela luz das estrelas, e de pronto afugentei a ideia.

"Durante toda aquela longa noite, mantive os Morloques longe do pensamento tanto quanto possível, e matei o tempo tentando imaginar se eu era capaz de encontrar sinais das antigas constelações naquela nova confusão. O céu estava muito aberto, exceto por uma ou outra nuvem turva. Sem dúvida cochilei algumas vezes. Mais tarde, quando minha vigília já vacilava, uma luz débil surgiu no céu a leste, como o reflexo de um fogo descolorido, e a lua minguante nasceu baça, pálida e alva. Logo atrás, alcançando-a e transbordando-a, veio a aurora — fraca a princípio, depois cada vez mais rósea e cálida. Nenhum Morloque se aproximara de nós. Na verdade, eu não vira nenhum deles no topo da colina naquela noite, e na confiança de um novo dia, quase parecia que meu medo era irracional. Levantei-me e percebi que o pé cuja sola do sapato se soltara estava inchado no calcanhar e dolorido na planta, então me sentei de novo, arranquei os calçados e os joguei para longe.

"Acordei Weena e descemos até o bosque, já verde e agradável em vez de escuro e proibitivo. Encontramos algumas frutas com as quais quebramos o jejum. Logo cruzamos com outros serezinhos delicados, rindo e dançando sob a luz do sol, tal qual não houvesse na natureza algo como a noite. E, mais uma vez, pensei na carne que vira. Já tinha certeza do que se tratava, e no fundo do coração senti pena em pensar no riacho febril que restava do grandioso fluxo da humanidade. Claramente, em algum ponto do Passado Remoto daquele declínio humano, a fonte de comida dos Morloques secara. Era provável que vivessem a base de ratos e outras criaturas similares. Mesmo agora, o ser humano é muito menos discriminatório e exclusivo em seus hábitos alimentares do que era antes — muito menos do que qualquer símio. O desprezo pela carne humana não é um instinto arraigado. E aqueles filhos inumanos da humanidade...! Tentei encarar a situação com espírito científico. Afinal de contas, eles eram menos humanos e mais distantes de nós do que nossos ancestrais canibais de três ou quatro mil anos atrás. E a inteligência que faria daquele estado das coisas um tormento já não existia mais. Por que me incomodar? Os Elóis não passavam de gado de engorda, dos quais os Morloques em seus formigueiros cuidavam e que depois predavam — e cuja reprodução provavelmente promoviam também. E lá estava Weena dançando a meu lado!

"Tentei me preservar do horror que se abatia sobre mim ao pensar naquilo como uma punição rigorosa pelo egoísmo humano. Seres humanos tinham se deleitado e vivido na tranquilidade e prazer às custas dos esforços daquela raça irmã; haviam usado a Necessidade como justificativa e motivação, e a Necessidade enfim se voltara contra eles com força total. Tentei até escarnecer, como Carlyle, daquela aristocracia infeliz em declínio, mas era impossível manter esse tipo de pensamento — por maior que fosse a degradação intelectual dos Elóis, eles ainda retinham uma forma humana o bastante para despertar minha simpatia, o que fazia de mim um companheiro forçado de sua degradação e de seu Medo.

"Eu tinha, naquele momento, ideias muito vagas sobre em qual direção seguir. A primeira delas era garantir algum lugar seguro ou refúgio, e construir armas com metal e pedras que pudesse encontrar. Essa era a necessidade imediata. Em seguida, esperava encontrar algum meio de produzir fogo, para que então tivesse à mão uma tocha como arma — já que nada, até onde eu sabia, era mais eficiente contra os Morloques do que fogo. Por fim, precisava descobrir uma maneira de arrombar as portas de bronze sob a Esfinge Branca. Pensei em um aríete. Havia me convencido de que se pudesse entrar por aquelas portas carregando uma tocha comigo, encontraria a Máquina do Tempo e escaparia. Não conseguia imaginar os Morloques com força suficiente para arrastá-la por grandes distâncias. Decidi também que traria Weena comigo para este nosso tempo. E, revirando tais planos na mente, segui na direção da construção que eu escolhera para ser nosso abrigo."

A Máquina
do Tempo

Wells

VIII

"Quando nos aproximamos do Palácio de Porcelana Verde, perto do meio-dia, vi que estava deserto e quase em ruínas. Apenas vestígios de vidro quebrado restavam nas janelas, e grandes porções da superfície esverdeada haviam caído das molduras metálicas corroídas. Localizava-se bem no alto de um declive relvado. Quando olhava na direção nordeste, antes de entrar no prédio, fui surpreendido pela visão do amplo estuário, talvez até enseada, onde imaginei que Wandsworth e Battersea costumavam ficar. Na ocasião, pensei — embora nunca mais tenha retornado a tal pensamento — no que poderia ter acontecido, ou ainda estar acontecendo, com os seres marinhos.

"Sob uma análise mais cuidadosa, o revestimento do palácio provou-se de fato ser porcelana, e na fachada vi uma inscrição em caracteres desconhecidos. Tolo, achei que Weena talvez pudesse me ajudar a interpretar aquilo, mas tudo o que consegui foi descobrir que a simples ideia de escrever nunca passara por sua cabeça. Sinto que ela sempre me parecia mais humana do que realmente era, talvez por sua afeição ser tão característica de nossa espécie.

"Atrás das grandes folhas duplas da porta — escancaradas e quebradas — encontramos, em vez do salão que eu esperava, uma longa galeria iluminada pela luz de várias janelas laterais. À primeira vista, lembrava um museu. O chão ladrilhado estava coberto por uma camada grossa de poeira, e uma gama considerável de objetos aleatórios jazia coberta pelo mesmo pó cinzento. Em seguida, percebi o que claramente era a parte inferior de uma ossada gigante, estranha e lúgubre no centro do espaço. Pelas patas curvadas, supus pertencer a alguma criatura extinta similar ao megatério.

O crânio e os ossos da parte superior estavam espalhados no chão ao lado, também repletos de poeira. Em certo ponto, onde a água da chuva pingara de um vazamento no telhado, o material fora completamente corroído. Mais para dentro da galeria havia um grande esqueleto de brontossauro. Minha hipótese de que o local se tratava de um museu foi confirmada. Seguindo na direção da lateral, descobri o que pareciam ser prateleiras inclinadas. Quando limpei o vidro, encontrei velhas e familiares vitrines de nossa própria época. Deviam ser bem vedadas, a julgar pelo ótimo estado de preservação de parte do conteúdo.

"Ficou claro que estávamos em meio às ruínas de algum South Kensington do futuro! Ali, ao que parecia, era a Ala Paleontológica — e que esplêndido devia ter sido o acervo de fósseis! Imaginei que o processo inevitável de degradação, embora contido por um tempo e que, pela extinção de bactérias e fungos, perdera noventa e nove por cento de sua força, ainda se abatia — mesmo com extrema lentidão — sobre todos aqueles tesouros. Aqui e ali descobri restos mortais de pequeninos na forma de raros fósseis quebrados em pedaços ou largados sobre montes de junco. Em alguns casos, as vitrines de vidro haviam sido removidas — pelos Morloques, presumi. O lugar era muito silencioso. A poeira grossa abafava o som de nossos passos. Weena parou de brincar com um ouriço do mar, que fazia escorregar pelo topo inclinado de uma vitrine, e veio até mim enquanto eu olhava ao redor. Pegando minha mão com delicadeza, ficou parada ao meu lado.

"A princípio, fiquei tão surpreso com aquele monumento a uma era intelectual que não dei atenção às possibilidades que apresentava. Mesmo a preocupação com a Máquina do Tempo sumiu de minha mente.

"Dado o tamanho do lugar, o Palácio de Porcelana Verde continha em si muito mais do que a Galeria Paleontológica; era provável que tivesse galerias históricas, e talvez até uma biblioteca! Para mim, pelo menos nas circunstâncias em que me encontrava, aquele tipo de coisa seria amplamente mais interessante do que tal espetáculo de geologia antiga em decadência. Explorando, descobri outra galeria curta que atravessava a primeira na transversal.

Parecia ser dedicada aos minerais, e a visão de um bloco de enxofre me fez pensar em pólvora. Porém, não vi nenhum salitre; na verdade, nenhum tipo de nitrato. Sem dúvida, deviam ter se liquefeito muito tempo antes. O enxofre, no entanto, ainda em minha mente, originou um fluxo de pensamento. Quanto ao resto do conteúdo daquela galeria, este me interessava muito pouco, embora, no geral, fossem as peças mais preservadas dentre todas as que eu vira. Não sou especialista em mineralogia, e resolvi seguir por um corredor bastante destruído paralelo ao primeiro salão por onde entrara. Aparentemente, aquela ala era dedicada à história natural, mas tudo se tornara irreconhecível havia muito tempo. Alguns vestígios ressequidos e escurecidos do que algum dia haviam sido animais empalhados, múmias dissecadas em recipientes que antes continham álcool, plantas apodrecidas transformadas em um pó amarronzado — isso era tudo! Lamentei, pois teria tido prazer em acompanhar os ajustes visíveis pelos quais a natureza animada atingira a vitória. Depois segui por uma galeria de dimensões não menos do que colossais, embora estranhamente mal-iluminada, cujo chão subia em um ângulo leve a partir da entrada. Globos brancos pendiam do teto em intervalos; muitos rachados e destroçados, o que sugeria que a iluminação do espaço fora artificial. Ali me senti mais em casa, pois em ambos os lados vi os volumes de máquinas enormes — todas extensamente corroídas e muitas aos pedaços, mas outras ainda consideravelmente inteiras. Os senhores bem sabem que tenho um fraco por mecanismos, e acabei me demorando entre os equipamentos — mais ainda quando percebi que quase todos eram como quebra-cabeças para mim, pois só me restava imaginar vagamente para que serviam. Pensei que se pudesse resolver tais enigmas, acabaria adquirindo poderes que servissem contra os Morloques.

"De súbito, Weena se aproximou até ficar bem perto de mim. A ação foi tão repentina que me sobressaltei. Não fosse por ela, acho que sequer teria percebido que o chão da galeria era inclinado (pode ser, é claro, que não se inclinasse de fato, mas que o museu fosse construído na encosta de uma colina). A extremidade por onde eu entrara ficava bem elevada em relação à parte inferior do piso, e era iluminada por raras janelas estreitas. Descendo pela rampa ao longo do comprimento do salão, o piso se inclinava em relação à base dessas janelas, até que, enfim, houvesse um poço como a "área" de uma casa londrina debaixo de cada uma delas, com apenas uma fina faixa de luz solar vindo lá de cima. Prossegui devagar, especulando sobre o uso das máquinas; estava tão compenetrado que só percebi a diminuição gradual da luz quando a inquietação crescente de Weena me despertou. Foi quando vi que a galeria enfim terminava em uma escuridão profunda. Hesitei e, quando olhei ao redor, vi que ali a poeira era menos abundante, e a cobertura mais irregular. Mais perto ainda da escuridão, a camada de pó parecia perturbada por várias pegadas pequenas. Minha sensação de presença iminente dos Morloques foi despertada pela visão. Senti que estava desperdiçando meu tempo na análise acadêmica daquele maquinário. Lembrei que já era meio da tarde e que eu não tinha armas, abrigo ou maneiras de fazer fogo. Foi quando, no breu distante do fim da galeria, ouvi um tamborilar peculiar, e os mesmos ruídos estranhos que ouvira no fundo do poço.

"Peguei a mão de Weena. Em seguida, tomado por uma ideia repentina, deixei-a de lado e corri até uma máquina da qual se projetava uma alavanca não muito diferente das que se vê em guaritas de sinalização. Subi no apoio, agarrei a peça com as duas mãos e a puxei com todas as forças para o lado. Weena, que estava sozinha no corredor central, começou a choramingar. Julguei bem a força da alavanca, pois ela se quebrou depois de um mero instante de resistência. Quando me juntei de novo à pequenina, levava em mãos um porrete que, acreditava eu, seria mais do que suficiente para esmagar o crânio de quaisquer Morloques que encontrasse — e eu ansiava intensamente por matar um ou outro deles. Muito pouco humano, devem estar pensando, querer matar os próprios descendentes! Mas, de alguma forma, era impossível sentir qualquer compaixão por aquelas criaturas. Apenas minha reticência em deixar Weena e a certeza de que aplacar minha sede por sangue recairia na Máquina do Tempo me impediram de avançar de uma vez pela galeria e matar os brutos que eu ouvia.

"Bem, com a arma em uma das mãos e a mãozinha de Weena na outra, segui pela galeria até entrar em outro recinto, ainda maior, que à primeira vista me pareceu uma capela militar toda decorada com bandeirolas esfarrapadas. Depois, reconheci os frangalhos marrons e meio carbonizados que caíam das paredes laterais como vestígios apodrecidos de livros. Tinham sido rasgados havia muito tempo, e qualquer traço de tinta desaparecera. Mas, aqui e ali, via capas retorcidas e fechos metálicos suficientes para contar história. Se eu fosse um literato, talvez moralizasse sobre a futilidade de qualquer ambição. Mas, dado quem sou, o que com mais intensidade me afetou foi o enorme desperdício de esforço de que tal sombria vastidão de papel apodrecido era testemunha. Confesso que, naquele momento, pensava principalmente no periódico *As Transações Filosóficas*, da Sociedade Real de Londres, e nos dezessete artigos de minha própria autoria sobre ótica ondulatória.

"Depois, subindo por uma escadaria ampla, chegamos no que parecia ter sido uma ala sobre química. Eu não tinha nem mesmo um fio de esperança de fazer alguma descoberta útil ali. Exceto por uma das laterais, onde o teto despencara, a galeria estava bem preservada. Avancei com avidez na direção de todas as vitrines inteiras. Enfim, em uma vitrine ainda completamente estanque, encontrei uma caixa de fósforos. Ansioso, testei um deles. Estavam em perfeitas condições, nem sequer úmidos. Eu me virei para Weena. 'Pode dançar!', exclamei na língua dos pequeninos, feliz pois agora tinha uma arma contra as horríveis criaturas que tanto temia. E assim, naquele museu depredado, sobre o carpete macio de poeira — e para a total alegria de Weena —, executei uma solene dança mista, assoviando "The Land of the Leal" de forma tão alegre quanto conseguia. O que saiu foi em parte um cancã modesto, em parte um sapateado, em parte uma dança de saia (tanto quanto meu fraque permitia) e em parte algo original — pois sou naturalmente inventivo, como os senhores bem sabem.

"Ainda penso em como é estranho que uma caixa de fósforos tenha sobrevivido à degradação do tempo por incontáveis anos, mas também em como fui sortudo. Por mais esquisito que pareça, porém, encontrei uma substância ainda mais improvável — cânfora. Achei um pouco em um frasco selado; suponho que muito provavelmente era um frasco hermético. A princípio, pensei se tratar de parafina, e quebrei o vidro para usá-la. O odor de cânfora, no entanto, é inconfundível. Em meio à destruição universal, aquela substância volátil conseguira sobreviver, talvez ao longo de muitos milhares de séculos. Aquilo me fez lembrar de uma pintura em sépia que vi certa vez, feita com a tinta de um fóssil de belemnite que provavelmente morrera e fora fossilizado havia milhares de anos. Eu estava prestes a jogar o produto fora quando me lembrei de que a cânfora era inflamável, e queimava produzindo uma boa chama brilhante. Servia, na verdade, como excelente base para vela, então guardei o pote no bolso. Não encontrei explosivos, porém, nem outra coisa que me ajudasse a arrombar as portas de bronze. Até aquele momento, minha barra de ferro era a coisa mais útil com que podia contar. Ainda assim, quando deixei a galeria estava exultante.

"Não sou capaz de relatar aos senhores tudo o que ocorreu naquela longa tarde. Precisaria forçar por demais a memória para me lembrar de minhas explorações na ordem correta. Recordo-me de ver uma longa galeria com armas enferrujadas, e como cogitei trocar a barra por um machado ou espada. Era impossível carregar duas coisas, e a alavanca prometia mais chances contra os portões de bronze. Havia vários revólveres, pistolas e espingardas. A maior parte dos itens fora reduzida a massas de ferrugem, mas muitos reluziam como metal novo e pareciam consideravelmente inteiros. Ainda assim, a munição e a pólvora que porventura existiam já haviam sido reduzidas a pó. Um dos cantos da ala estava escuro e todo destruído, talvez por alguma explosão entre os itens exibidos, pensei. Em outra ala vi uma ampla gama de ídolos — polinésios, mexicanos, gregos, fenícios, coisas de todos os países da Terra em que podia pensar. E ali, cedendo a um impulso irresistível, escrevi meu nome no focinho de um monstro da América do Sul feito em pedra-sabão do qual gostei especialmente.

"Conforme a tarde avançava, meu interesse foi diminuindo. Segui de galeria em galeria, todas empoeiradas, silenciosas e, não raro, caindo aos pedaços. Alguns itens exibidos às vezes não passavam de pilhas de ferrugem e linhito, outros pareciam mais preservados.

Em determinado momento, eu me vi diante de um diorama de uma mina de estanho; ali, por mero acidente, descobri uma vitrine hermética com dois cartuchos de dinamite! Gritei 'eureca!' e quebrei a proteção com alegria. Foi quando veio a dúvida. Hesitei. E, em seguida, escolhendo um corredor lateral, testei o explosivo. Nunca senti tamanha decepção como enquanto esperava cinco, dez, quinze minutos por uma detonação que nunca veio. É claro que a dinamite era de mentira, como eu deveria ter imaginado ao encontrar o material. Acho que se fosse real, eu teria saído correndo na hora para explodir a Esfinge, os portões de bronze e (como ficou provado depois) minhas chances de encontrar a Máquina do Tempo, reduzindo tudo à não existência de uma vez só.

"Foi depois disso, creio, que chegamos a um pátio aberto no meio do palácio. Havia um gramado e três árvores frutíferas. Ali, descansamos e nos revigoramos. Quando o pôr do sol começou a se aproximar, passei a considerar nossa posição. A noite se esgueirava em nossa direção, e eu ainda não tinha encontrado um abrigo inacessível, mas isso pouco me incomodava naquele momento: agora eu tinha na minha posse algo que provavelmente era a melhor das defesas contra os Morloques — fósforos! Também levava a cânfora no bolso, caso precisasse de chamas maiores. Ao que me parecia, o melhor que poderia fazer era passar a noite em campo aberto, protegido por uma fogueira. Pela manhã, buscaria a recuperação da Máquina do Tempo — e, para tal fim, eu só possuía a barra de ferro. Com meu conhecimento crescente, porém, eu já tinha outra ideia sobre os portões de bronze. Evitara tentar arrombá-los até aquele momento, em especial por causa do mistério sobre o que havia do outro lado, mas eles nunca haviam me parecido muito fortes e eu esperava que minha barra de ferro não fosse de todo inadequada para o serviço."

A Máquina do Tempo
Wells

IX

"Quando saímos do palácio, ainda era possível ver parte do sol acima do horizonte. Eu estava determinado a alcançar a Esfinge Branca logo cedo na manhã seguinte, então propus que avançássemos pela floresta que nos havia detido na viagem de ida ainda antes do escurecer. Meu plano era avançar o máximo possível naquela noite e, em seguida, acender uma fogueira e dormir na proteção de seu brilho. Para esse fim, conforme seguíamos, fui coletando todos os gravetos e matos secos que via, até encher os braços. Com a carga, nosso progresso foi mais lento do que eu esperava, e Weena começou a se cansar. Também comecei a ficar sonolento, e a noite acabou caindo antes de chegarmos à floresta. Com medo da escuridão à nossa frente, Weena quis parar no topo da colina cheia de arbustos onde ficava o limiar da mata; no entanto, uma sensação de calamidade iminente — que deveria na verdade ter me servido de aviso — fez com que eu insistisse em continuar. Eu não dormia havia dois dias e uma noite, e estava febril e irritável. Sentia o sono se aproximando, e com ele os Morloques.

"Enquanto hesitávamos, vi três vultos brancos entre as moitas escuras atrás de nós, destacados contra a penumbra. Havia um matagal e trechos de grama alta adiante, e não me senti à salvo de uma possível aproximação traiçoeira. A mata, calculava eu, tinha pouco mais de um quilômetro e meio de extensão. Se eu conseguisse atravessá-la até a colina nua do outro lado, poderia, ao que me parecia, encontrar um lugar seguro para descansar; achava também que os fósforos e a cânfora ajudariam a iluminar meu caminho pela floresta. Logo ficou claro que se fosse manusear os fósforos, teria de abandonar a lenha coletada — assim, bem relutante, coloquei os gravetos no chão. Foi quando pensei que acender aquela pilha de madeira descartada talvez afugentasse nossos amigos à espreita. Descobriria mais tarde como aquela estratégia era atrozmente estúpida, mas na ocasião achei uma maneira engenhosa de arrumar certa cobertura pela retaguarda.

"Não sei se já pararam para pensar em como o fogo é algo raro em um local de clima temperado e na ausência do homem. O calor do sol raramente é quente o bastante para incendiar algo, mesmo quando focalizado por gotas de orvalho — como às vezes é o caso em regiões mais tropicais. Raios podem até cair e chamuscar a área que atingem, mas raramente criam labaredas que se espalham para muito longe. A vegetação apodrecida às vezes entra em combustão por conta do calor da fermentação, mas é raro o processo resultar em incêndio. Na decadência da humanidade, somada a tudo o mais que eu havia presenciado, a arte de fazer fogo também fora esquecida. A chamas vermelhas que lambiam a pilha de madeira eram completamente novas e estranhas aos olhos de Weena.

"A pequenina queria correr até a fogueira e brincar com ela. Acho que teria se jogado lá dentro se eu não a tivesse segurado, mas a contive e, apesar de sua resistência, segui em um ritmo firme na direção da floresta. Por um tempo, a luz das chamas iluminou o caminho. Pouco depois, olhei para trás e notei, através dos galhos fechados, que o fogo se alastrara da pilha de gravetos para algumas moitas próximas, e agora as chamas avançavam em nossa direção, subindo pela relva em uma linha curvada. Ri daquilo, e me virei mais uma vez para as árvores adiante. A mata estava bem escura, e Weena se agarrava a mim com desespero. Porém, quando meus olhos se acostumaram ao breu, vi que a luz ainda era suficiente para desviar dos troncos. Acima de nós havia apenas a escuridão, à exceção de um trecho azul de céu que surgia aqui e ali. Não acendi nenhum fósforo, pois minhas mãos não estavam livres — na esquerda eu carregava minha pequenina, e na direita levava a barra de ferro.

"Por boa parte do caminho, não ouvi nada além dos gravetos estalando sob meus pés, o farfalhar suave das copas balançando ao sabor da brisa, minha própria respiração e o pulsar dos vasos sanguíneos nas têmporas. Foi quando me dei conta de um tamborilar que vinha de algum ponto próximo. Tenso, apertei o passo. O tamborilar ficou mais distinto, e em seguida comecei a escutar os mesmos sons e vozes que ouvira no Mundo Subterrâneo. Era evidente que havia vários Morloques por ali, e eles começavam a me cercar. De fato, pouco depois senti um puxão no meu casaco, e em seguida outro no braço. Weena tremia violentamente, mas continuava em silêncio.

"Era hora de acender um fósforo; para pegar um, no entanto, eu precisaria colocar a pequenina no chão. Assim o fiz e, enquanto vasculhava o bolso, uma luta começou na escuridão na altura dos meus joelhos; Weena não fazia ruído algum, e dos Morloques vinham aqueles peculiares sons arrulhados. Comecei a sentir mãozinhas macias no meu casaco, nas minhas costas, tocando meu pescoço. Enfim, consegui riscar o fósforo e ele se acendeu. Ergui-o brilhante diante de mim, e vi as costas brancas dos Morloques desaparecendo em meio às árvores. Atrapalhado, peguei uma porção de cânfora do bolso e me preparei para acendê-la assim que o fósforo estivesse prestes a se apagar. Foi quando olhei para Weena. Ela estava deitada, agarrada a meus pés e quase imóvel, com o rosto voltado para o chão. Tomado por um medo súbito, eu me abaixei. Ela mal parecia respirar. Coloquei fogo na porção de cânfora e a joguei no chão. Quando, chiando e se inflamando, as chamas começaram a afastar os morloques e as sombras, eu me ajoelhei e a ergui. A floresta atrás de nós parecia se agitar com o movimento — estávamos em numerosa companhia!

"A pequenina parecia ter desmaiado. Coloquei-a com cuidado sobre os ombros e me levantei. Logo em seguida percebi uma coisa terrível: com toda a comoção envolvendo os fósforos e Weena, eu tinha me virado várias vezes, e agora não fazia a mínima ideia da direção em que deveria seguir. Até onde sabia, eu podia estar com o Palácio de Porcelana Verde à minha frente. Comecei a suar frio. Tinha de pensar rapidamente no que fazer. Resolvi construir uma fogueira e acampar onde estávamos. Pousei Weena, ainda imóvel, sobre um tronco musgoso. Muito rápido, já que a primeira porção de cânfora já se apagava, comecei a coletar gravetos e folhas. Aqui e ali, na escuridão, os olhos dos Morloques resplandeciam como rubis.

"A cânfora tremeluziu e parou de brilhar. Acendi um palito de fósforo e, assim que o fiz, duas criaturas pálidas que se aproximavam de Weena fugiram em carreira. Uma foi ofuscada de tal forma pela luz que veio em minha direção, e senti seus ossos se esmigalhando quando a atingi com um soco. Ela soltou um uivo de lamento, mancou um pouco e desmoronou. Acendi outro pequeno bloco de cânfora e continuei montando minha fogueira. Depois de um tempo, percebi como a folhagem acima de mim estava seca — pois, desde que chegara com a Máquina do Tempo, fazia cerca de uma semana, não chovera mais. Assim, em vez de vagar por entre as árvores atrás de galhos caídos, comecei a pular para arrancar alguns ramos do alto. Logo consegui uma pequena fogueira fumarenta de madeira verde e gravetos secos, o que me permitiria economizar a cânfora. Em seguida, virei-me para onde Weena estava deitada, ao lado da barra de ferro. Fiz o que pude para reanimá-la, mas ela jazia imóvel como se estivesse morta. Não conseguia sequer saber com certeza se ela respirava.

"A fumaça do incêndio veio na minha direção, e a inalar me fez sentir tonto de repente. Além disso, o vapor da cânfora pairava no ar. O fogo não precisaria ser avivado em uma hora ou mais e, exausto depois de todo o esforço, eu me sentei. A floresta também exalava murmúrios chiados que eu não conseguia entender. Foi como se tivesse apenas fechado os olhos — quando os abri, já estava tudo escuro e os Morloques me cercavam e tentavam me apalpar. Rechaçando-os, vasculhei meu bolso em busca da caixa de fósforos, e... ela não estava mais lá! Eles me alcançaram e me cercaram mais uma vez. Na hora entendi o acontecido: eu dormira e meu fogo se apagara. Senti o amargor da morte se abatendo sobre minha alma. A floresta parecia feder a madeira queimada. Senti cutucões no pescoço, no cabelo e nos braços, e fui sendo puxado para o chão. Não consigo descrever como era horrível sentir, na escuridão, aquelas criaturas macias se empilhando sobre mim. Minha sensação era a de estar em uma teia de aranha monstruosa. Fui sobrepujado e derrubado. Senti dentes finos mordiscando meu pescoço. Rolei e, no movimento, minha mão roçou na alavanca de ferro. Aquilo me deu forças. Resisti, chacoalhei os insetos humanos de cima de mim, agarrei a barra e desferi golpes onde achava ser a altura da cabeça deles. Senti a carne e os ossos cedendo sob os golpes com um ruído úmido, e por um momento me vi livre.

"A estranha euforia que não raro parece acompanhar uma luta árdua me inundou. Eu sabia que tanto eu quanto Weena estávamos perdidos, mas decidi fazer os Morloques pagarem pela refeição. Apoiei as costas em uma árvore, balançando a arma diante de mim. A impressão era de que toda a mata estava tomada pela agitação e pelos gritos daqueles seres. Um minuto se passou. Seus ruídos pareceram se elevar até um guinchado de excitação, e seus movimentos ficaram mais frenéticos. Ainda assim, nenhum conseguia me agarrar. Encarei a escuridão e, de súbito, tive esperanças. E se os Morloques estivessem com medo? Outra percepção estranha se fez na esteira dessa: a escuridão parecia cada vez mais luminosa. Eu podia ver, mesmo de leve, as silhuetas dos Morloques ao meu redor, além dos três caídos aos meus pés. Foi quando percebi, com uma surpresa incrédula, que outros vinham correndo no que parecia um fluxo constante; originavam-se de algum ponto atrás de mim e adentravam a floresta. Suas costas não pareciam mais brancas, e sim avermelhadas. Boquiaberto, vi uma faísca flutuar através de uma fenda iluminada entre as copas das árvores, antes de desaparecer. Foi quando entendi o cheiro de madeira queimada, o murmúrio chiado que agora se elevava a um rugido tempestuoso, o brilho vermelho e a fuga dos Morloques.

"Saí de trás da árvore em que me apoiava e olhei para trás. Por entre os pilares pretos que eram os troncos mais próximos, vi as labaredas consumirem a floresta. Eram as chamas da minha primeira fogueira se aproximando. Procurei por Weena, mas ela não estava mais ali. O chiado e os estalidos às minhas costas e os estrondos sempre que uma nova árvore explodia em chamas deixavam pouco tempo para maiores reflexões. Ainda com a barra de ferro em mãos, fui atrás dos Morloques. O fogo já estava quase me alcançando. Em determinado momento, ele avançou tão rápido pela minha direita que fui cercado pelo flanco e tive de desviar para a esquerda. Enfim, acabei emergindo em uma pequena clareira; no mesmo instante, um Morloque veio em disparada na minha direção, ultrapassou-me e correu direto para o fogo!

"E, logo, eu estava prestes a ver a coisa mais bizarra e horrível dentre tudo o que presenciei naquele tempo futuro. À luz da queimada, a área estava clara como o dia. No centro, havia um montículo coberto de espinheiros. Além dele, outra parte da floresta queimava, as labaredas amareladas já se expandindo para erguer uma cerca de fogo ao redor de toda a clareira. No topo da encosta havia cerca de trinta ou quarenta Morloques deslumbrados pela luz e pelo calor, trombando uns com os outros de tanta perplexidade. No início, não percebi que não conseguiam enxergar; saí dando golpes furiosos com a barra, tomado por um frenesi de pavor sempre que se aproximavam de mim, e acabei matando um e aleijando vários outros. Quando ouvi os gemidos e notei uma das criaturas presa sob os espinheiros, erguendo as mãos para o céu avermelhado, tive certeza da completa impotência e angústia dos seres diante do brilho, e não os ataquei mais.

"Ainda assim, um ou outro ainda vinha na minha direção, despertando em mim um estado trêmulo de horror que me fazia me esquivar mais rápido. As chamas acabaram esmorecendo, e temi que os terríveis diabretes logo recuperassem a visão. Pensei em começar o embate matando alguns deles antes que isso acontecesse, mas o fogo se avivou de novo com um brilho intenso e eu me contive. Caminhei pela colina evitando os bichos, procurando qualquer sinal de Weena, mas ela não estava em lugar nenhum.

"Enfim, sentei-me no topo do pequeno monte e assisti àquela trupe bizarra de bichos cegos que apalpavam a esmo, emitindo ruídos sinistros uns para os outros e banhados em luminosidade. A coluna rodopiante de fumaça se espalhava pelo céu, e nos raros trechos visíveis do firmamento avermelhado, remotas como se pertencessem a outro universo, brilhavam pequenas estrelas. Dois ou três Morloques se aproximaram de mim aos tropeções; todo trêmulo, eu os afugentei com golpes do punho.

"Pela maior parte da noite, acreditei estar em um pesadelo. Eu me beliscava e gritava, tomado por um desejo apaixonado de despertar. Socava o chão e me levantava e voltava a me sentar várias vezes; então perambulava para lá e para cá e me sentava de novo. Às vezes me encolhia, esfregando os olhos e pedindo que Deus me acordasse. Vi, em três ocasiões, os Morloques baixarem a cabeça em uma espécie de agonia e correrem na direção do incêndio. Finalmente — acima do avermelhado decrescente do fogo, acima das nuvens rodopiantes de fumaça escura e dos troncos acinzentados das árvores e acima da quantidade minguante de seres pálidos — irrompeu a luz alva de um novo dia.

"Procurei de novo por rastros de Weena, mas não havia nenhum. Ficou claro que tinham deixado seu pobre corpinho dentro da floresta. Não consigo descrever como me aliviou pensar que ela escapara do terrível fim ao que parecia destinada. Com a ideia, fui quase convencido a perpetrar um massacre das impotentes abominações diante de mim, mas me contive. O montículo, como disse, era uma espécie de ilha em meio à floresta. Ali do topo, eu consegui distinguir o Palácio de Porcelana Verde através da névoa da fumaça, e com isso consegui reencontrar o rumo que deveria tomar para chegar à Esfinge Branca. Resolvi deixar o resto daquelas almas condenadas gemendo e vagando sem destino. Enquanto o dia clareava, protegi meus pés com um pouco de grama e, avançando por cima das brasas fumegantes e dos restos escuros de vegetação que ainda queimavam em seu cerne, segui na direção de onde a Máquina do Tempo fora escondida. Avancei devagar pois estava quase exausto, além de meio manco, e sentia a mais profunda tristeza pela morte horrível da pequenina Weena. Aquilo parecia uma calamidade insuportável. Aqui, nesta sala familiar, parece mais o sofrimento de um sonho do que uma perda real. Naquela manhã, porém, o sumiço de Weena me deixou novamente sozinho — terrivelmente solitário. Comecei a pensar nesta minha casa, nesta lareira, em alguns dos senhores, e com tais pensamentos veio uma saudade dolorosa.

"Enquanto andava por cima das cinzas fumarentas sob o brilhante céu da manhã, porém, fiz uma descoberta. No bolso de minha calça, havia alguns palitos de fósforo soltos, que deviam ter caído da caixa antes de ela se perder."

A Máquina do Tempo
Wells

X

"Perto das oito ou nove da manhã, alcancei aquele trono de metal amarelo no qual subira e de onde vira o mundo na noite de minha chegada. Lembrei das conclusões apressadas que tirara naquela ocasião e não consegui reprimir uma risada amarga ao recordar minha confiança. Ali estavam o mesmo belo cenário, a mesma vegetação abundante, os mesmos palácios esplêndidos e as mesmas ruínas magníficas, assim como o mesmo rio argênteo correndo por entre as margens férteis. Aqui e ali, por entre as árvores, eu via as cores alegres das vestes dos belos pequeninos. Alguns se banhavam no exato local em que eu salvara Weena, e a lembrança me fez sentir uma pontada de tristeza. E, como manchas na paisagem, surgiam as cúpulas que encimavam os acessos ao Mundo Subterrâneo. Eu agora entendia o que toda a beleza do povo do Mundo da Superfície escondia. A rotina daquele povo era agradável, tão agradável quanto a do gado nos pastos. Como gado, não tinham inimigos e não se preveniam contra nenhuma necessidade. O destino de ambos também era o mesmo.

"Sofri ao pensar o quanto o sonho do intelecto humano fora breve — ele cometera suicídio. De forma perseverante, a raça humana avançara na direção do conforto e da tranquilidade, alcançando uma sociedade equilibrada que tinha a segurança e a estabilidade como palavras de ordem. Alcançara seus objetivos — mas terminara naquele estado. Em algum momento, o direito à vida e à propriedade atingira uma segurança quase absoluta. Os ricos tinham como certos sua fortuna e conforto; os trabalhadores, sua vida e trabalho. Sem dúvida, em tal mundo perfeito não havia desemprego, e todas as questões sociais já haviam sido resolvidas. A tal equilíbrio, seguira-se uma grande calmaria.

"Há, porém, uma lei da natureza que ignoramos: a versatilidade intelectual é uma compensação à exposição à mudança, ao perigo e à dificuldade. Um animal em perfeita harmonia com o ambiente é um mecanismo perfeito. A natureza nunca apela à inteligência até que o hábito e o instinto sejam inúteis. Não há inteligência onde não há mudança ou necessidade de mudança. Os únicos animais que demonstram inteligência são os que se depararam com uma ampla variedade de dificuldades e perigos.

"Na minha visão, a humanidade do Mundo da Superfície derivara-se para aquela beleza febril, e a do Mundo Subterrâneo, a uma mera indústria mecânica. A tal estado perfeito, porém, faltara um dos requisitos para a perfeição mecânica — a estabilidade absoluta. Ao que parecia, a alimentação no Mundo Subterrâneo, a despeito de como fosse feita, desarticulara-se com o passar do tempo. Assim, depois de dispensada por alguns milhares de anos, a Mãe Necessidade tinha retornado — e começara por baixo. Por estar em contato com maquinários — que, por mais perfeitos que fossem, ainda exigiam, para além do hábito, certo raciocínio no manuseio —, o povo do Mundo Subterrâneo provavelmente fora obrigado a manter mais iniciativa do que o do Mundo da Superfície, ainda que níveis menores de outras características humanas. E, quando outras fontes de carne acabaram, os indivíduos voltaram ao velho hábito até então reprimido. Afirmo que foi isso que entendi depois de minha última análise do mundo de Oitocentos e Dois Mil, Setecentos e Um. Talvez seja uma explicação errada, talvez a mais errada já inventada pela mente mortal — mas esse foi o sentido que extraí na ocasião, de forma que é essa a conclusão que compartilho com os senhores.

"Depois de toda a exaustão, entusiasmo e medo dos últimos dias e, apesar do meu luto, o trono, a vista tranquila e o calor do sol eram muito agradáveis. Eu estava muito cansado e sonolento, e logo minhas reflexões deram lugar ao ímpeto de tirar um cochilo. Quando dei por mim, aceitara os sinais do meu corpo e já me esparramava na turfa para mergulhar num sono longo e revigorante.

"Acordei logo antes do pôr do sol. Seguro de que não seria mais pego em meio ao cochilo pelos Morloques, eu me espreguicei e comecei a descer a colina em direção à Esfinge Branca. Levava a barra de ferro na mão, e com a outra brincava com os fósforos no meu bolso.

"Foi quando me deparei com algo inesperado: ao me aproximar do pedestal da esfinge, encontrei os portões de bronze abertos, empurrados para dentro de sulcos no chão.

"Detive-me diante deles, hesitando antes de entrar.

"Ali dentro havia um espaço pequeno, e a máquina repousava em um ponto elevado dele. As pequenas alavancas do painel ainda estavam comigo. Depois de todos os preparativos complexos para sitiar a Esfinge Branca, o que me esperava era uma rendição mansa. Joguei fora a barra de ferro, quase lamentando o fato de não a ter usado.

"Um pensamento súbito me ocorreu quando parei diante da entrada — eu entendera, pelo menos uma vez, o funcionamento da mente dos Morloques. Reprimindo uma forte vontade de rir, passei pelo portal de bronze e subi em direção à Máquina do Tempo. Para minha surpresa, ela fora oleada e limpa com todo o cuidado. Suspeitei, com base nisso, que os Morloques a haviam desmontado parcialmente na tentativa torta de entender seu funcionamento.

"Enquanto eu a analisava, encontrando prazer ao mero toque na invenção, o que eu temia aconteceu: os painéis de bronze correram para cima de repente e se chocaram contra os batentes fazendo um ruído alto. Fui deixado no escuro, aprisionado — ou era o que os Morloques achavam. Quando pensei nisso, caí na gargalhada.

"Já podia ouvir seu riso murmurante conforme se aproximavam de mim. Calmo, tentei acender o fósforo. Eu só precisava colocar as pequenas alavancas no painel e partir como um fantasma, mas não esperava uma coisa: os fósforos eram daquele tipo abominável que só acendiam quando riscados na própria caixa.

"Acho que podem imaginar como minha calma desapareceu. Os pequenos brutos já estavam bem perto. Um deles encostou em mim. Desferi um golpe amplo com a alavanca na escuridão, e comecei a me instalar aos tropeços no selim da máquina. Foi quando uma mão me tocou, e depois outra. Em seguida, precisei lutar contra aqueles dedos persistentes que tentavam tomar as alavancas de mim, ao mesmo tempo em que eu tateava em busca dos sulcos onde se encaixavam. Quase me tiraram uma delas. Senti-a escorregando da mão e tive de recorrer a uma cabeçada no escuro para recuperá-la — consegui ouvir o crânio de um Morloque rachando. Essa escaramuça, creio eu, foi mais corpo a corpo do que a outra na floresta.

"Mas enfim encaixei e empurrei a última alavanca. As garras ávidas me soltaram. A escuridão diante de meus olhos sumiu, e me vi em meio à mesma luz cinzenta e ao mesmo tumulto que já lhes descrevi."

A Máquina do Tempo

Wells

XI

"Já falei sobre o enjoo e a confusão causados pela viagem no tempo. Da segunda vez eu não estava sentado direito no selim, e sim de lado, em uma posição bem instável. Por um tempo indefinido, agarrei-me à máquina enquanto ela chacoalhava e vibrava, sem prestar muita atenção em nada. Voltei a olhar para os mostradores e fiquei espantado ao perceber onde tinha chegado. Um deles indicava uma contagem de dias, o outro de milhares de dias, o outro de milhões de dias e o último de bilhões. Em vez de puxar as alavancas, eu as tinha empurrado — e, ao olhar para o painel, vi que o indicador dos milhares dava voltas completas como o ponteiro dos segundos de um relógio... em direção à futuridade.

"Conforme avançava, uma mudança peculiar afetou a aparência das coisas. A palpitação cinzenta foi escurecendo e, em seguida, embora eu ainda viajasse em velocidade prodigiosa, a sucessão intermitente de dias e noites retornou — o que, em geral, indicava uma diminuição de ritmo —, e foi ficando cada vez mais destacada. Aquilo me deixou muito perturbado a princípio. A alternância entre noite e dia tornou-se cada vez mais lenta, assim como a passagem do sol pelo céu, até ambas parecerem se estender por séculos. Enfim, um ocaso contínuo banhou a terra, quebrado aqui e ali apenas quando um cometa cruzava o céu escuro. A faixa de luz que indicava o sol desaparecera havia um tempo; era como se não se pusesse mais — apenas surgia e desaparecia no oeste, gradativamente maior e mais vermelho. Não havia mais vestígio algum da lua. O movimento circular das estrelas, cada vez mais lento, dera lugar a pontos rastejantes de luz. Enfim, pouco antes de eu parar, o sol, ainda avermelhado e enorme, estacionou imóvel no horizonte: virou um vasto semicírculo que brilhava com um calor baço e se extinguia brevemente hora ou outra. Em determinado momento, brilhou mais forte por um tempo, mas logo voltou a seu desbotado calor avermelhado. Percebi, pela diminuição da velocidade do nascer e do pôr do sol, que nosso planeta já não orbitava mais ao redor dele. A Terra agora tinha sempre a mesma face voltada para o Sol, assim como a Lua em relação à Terra, em nosso tempo. Com muito cuidado, pois ainda me lembrava da queda na viagem anterior, comecei a reverter o movimento. A rotação dos ponteiros foi ficando cada vez mais lenta; o dos milhares enfim pareceu ficar imóvel, e o dos dias deixou de ser um borrão sobre o mostrador. A velocidade diminuiu até os contornos suaves de uma praia abandonada ficarem visíveis.

"Parei com cuidado e me ajeitei no assento da Máquina do Tempo, olhando ao redor. O céu não era mais azul. Na direção nordeste ele estava preto como breu, e na escuridão as pálidas estrelas brancas resplandeciam de forma contínua e luminosa. Logo acima de mim, o firmamento assumira um vermelho intenso e desprovido de estrelas; a sudeste, ficava mais brilhante até atingir um rigoroso escarlate — nessa região, cortada pelo horizonte, jazia a enorme carcaça do sol, rubra e imóvel. As rochas ao meu redor também ostentavam uma forte coloração avermelhada, e todos os traços de vida que eu conseguia ver eram os da vegetação profundamente verde que cobria todas as superfícies voltadas para o sudeste. Tinha o mesmo tom rico de verde que se vê nos musgos nas florestas e nos liquens nas cavernas: plantas que, como aquelas, cresciam em estado de perpétuo crepúsculo.

"A máquina estava em uma praia inclinada. O mar se estendia na direção sudoeste, transformando-se em um horizonte que brilhava duro contra o céu pálido. Não havia ondas ou marolas, pois não soprava nem a mais leve das brisas. Só havia um oscilar fluido na superfície da água, como uma respiração suave, o que mostrava que o mar eterno ainda se movia e estava vivo. Ao longo da margem onde a maré às vezes quebrava, havia uma grossa camada de sal — rósea sob o céu lúgubre. Eu sentia uma espécie de peso na cabeça e notei que respirava muito rápido. A sensação me fez lembrar de minha única experiência com o montanhismo, e com base nisso supus que naquele tempo o ar era mais rarefeito do que é hoje.

"Um grito agudo veio do alto do aclive desolado, e vi uma criatura que lembrava uma enorme borboleta branca volitando e rodopiando em direção ao céu. Depois de dar algumas voltas, ela desapareceu atrás das colinas suaves mais além. O som que emitira fora tão sombrio que me arrepiei. Sentei-me mais ereto no selim. Olhei mais uma vez ao redor e vi que, bem perto de mim, o que eu supusera ser uma pedra vermelha agora se movia na minha direção. Percebi então que a coisa era, na verdade, uma criatura monstruosa assemelhada a um caranguejo. Imaginem, senhores, um ser grande como uma mesa de centro, com muitas patas que se moviam com lentidão e incerteza, grandes garras balouçantes, longas antenas parecidas com chicotes de cocheiro oscilando e sentindo o ar, e olhos protuberantes que brilhavam nas duas laterais da carcaça metálica. A carapaça era ondulada e ornamentada com saliências estranhas, incrustrada aqui e ali com material verde. Eu podia ver os vários palpos de sua complexa boca tremulando e tateando ao redor enquanto o bicho se movia.

"Ao observar a sinistra aparição se esgueirar na minha direção, senti cócegas no rosto, como se uma mosca tivesse pousado ali. Tentei espantar qual fosse o incômodo, mas a sensação voltou em um instante; quase de imediato, senti a mesma perturbação na orelha. Agitei a mão e fechei-a ao redor de algo comprido. A coisa se retraiu de imediato e, com um arrepio de medo, eu me virei e percebi que havia agarrado sem querer a antena de outro caranguejo monstruoso logo atrás de mim. Seus olhos maléficos tremulavam na ponta das hastes, sua boca abria e fechava cheia de apetite, e as vastas garras desajeitadas, sujas de algas gosmentas, já avançavam na minha direção. Em um momento, minha mão voou até as alavancas, e coloquei um mês de distância entre mim e aqueles monstros. Cheguei, porém, na mesma praia, e vi claramente outras criaturas iguais assim que parei. Dezenas pareciam se arrastar para lá e para cá em meio às folhagens de um verde intenso.

"Não consigo explicar a sensação de abominável abandono que pairava sobre o mundo. O céu avermelhado a leste, a escuridão ao norte, o salobro Mar Morto, a praia pedregosa cheia daqueles monstros nojentos e

rastejantes, a cobertura de aparência venenosa formada pelas plantas que lembravam liquens, o ar rarefeito que incomodava os pulmões — tudo contribuía para o cenário desanimador. Avancei mais uma centena de anos, e lá estava o mesmo sol carmim — um pouco maior, um pouco mais pálido — e o mesmo mar moribundo, e o mesmo ar gelado, e a mesma multidão de crustáceos terrestres perambulando de um lado para o outro entre a vegetação verde e as pedras avermelhadas. E no céu, a oeste, vi um círculo desbotado que lembrava uma enorme lua nova.

"Continuei viajando assim, parando de tempos em tempos, pulando períodos de mil anos ou mais, atraído pelo mistério do destino da Terra. Vi, com estranha fascinação, o sol ficar cada vez maior e mais baço no céu ocidental, e a vida na velha Terra aos poucos deixando de existir. Enfim, depois de mais de trinta milhões de anos, o enorme globo incandescente do sol já cobria praticamente um décimo do firmamento. Quando parei de novo, a multidão rastejante de caranguejos já tinha desaparecido; a praia vermelha, exceto pelas hepáticas e pelos líquens, parecia sem vida, polvilhada de branco aqui e ali. Senti um frio intenso. Escassos flocos alvos eram trazidos à praia pela maré. Na direção nordeste, a neve resplandecia ofuscante sob a luz das estrelas que cintilavam no breu do céu, e era possível ver os topos e vales das colinas tingidas de um branco-róseo. Havia resquícios de gelo na costa e grandes blocos que flutuavam além; ainda assim, a maior parte do oceano salgado, sanguíneo sob o eterno pôr do sol, ainda não estava congelada.

"Olhei ao redor para ver se encontrava vestígios de vida animal. Uma certa apreensão indefinível ainda me mantinha no selim da máquina. Porém, não vi nada se movendo — nem na terra, nem no céu, nem no mar. A própria gosma verde nas rochas já era prova de que a vida ainda não estava extinta. Um banco raso de areia surgira no meio do mar, e a rebentação se afastara da praia. Imaginei ver um objeto escuro flutuando perto do banco, mas ele ficou imóvel assim que olhei melhor; cheguei à conclusão de que fora um golpe de vista e que não passava de uma rocha. As estrelas no céu estavam muito brilhantes, e a mim pareciam cintilar muito pouco.

"De súbito, percebi que o contorno semicircular do sol a oeste mudara; uma concavidade — ou uma reentrância — agora se destacava como silhueta. Vi-a crescer. Por um minuto, talvez, assisti horrorizado à escuridão tomar o dia, e depois percebi que era o começo de um eclipse. Ou a Lua ou Mercúrio estavam passando diante do Sol. Naturalmente, primeiro imaginei que fosse a Lua, mas muitas coisas me fazem crer que foi o deslocamento de um dos planetas interiores passando muito perto da Terra.

"A escuridão aumentava rápido, um vento frio começou a soprar em rajadas refrescantes vindas do leste, e os flocos brancos passaram a cair do céu em maior volume. O mar emitia um ruído ondulante e sussurrado. Além daqueles sons sem vida, o mundo era silêncio. Ora, silêncio... É até difícil descrever como tudo parecia suspenso. Todos os sons da humanidade, os balido das ovelhas, os cantos dos pássaros, os zumbidos dos insetos e o burburinho que forma o ruído de fundo da nossa vida — nada disso existia mais. A escuridão foi aumentando, os flocos ficaram mais abundantes dançando diante de meus olhos, o frio no ar se intensificou. Enfim, um a um, os picos brancos das colinas distantes foram sumindo rapidamente em meio às trevas. A brisa se transformou em um vento uivante. Vi a linha da sombra do eclipse disparando na minha direção. No momento seguinte, as únicas coisas visíveis eram as estrelas pálidas. Todo o resto eram trevas embaciadas. O céu ficou completamente preto.

"Um pavor daquela grande escuridão me dominou. O frio que me açoitava até os ossos e a dificuldade de respirar me sobrepujaram. Tremi e fui tomado por uma náusea horrorosa. Então, como um arco em brasa no céu, apareceu a borda do sol. Saí da máquina para me recuperar. Eu me sentia zonzo e incapaz de encarar a viagem de volta. Parado ali, enjoado e confuso, vi de novo o objeto se mover além do banco de areia, sobre a água vermelha do mar. Não tive mais dúvida de que estava de fato em movimento. Era uma coisa redonda — do tamanho de uma bola de futebol, talvez maior — estendendo vários tentáculos; parecia preta contra a massa tumultuosa de água vermelho-sangue, e oscilava de um lado para o outro. Senti que estava prestes a desmaiar. Um pavor horrendo de cair indefeso em meio àquele crepúsculo abandonado e terrível me fez ter forças para voltar ao selim."

A Máquina do Tempo
Wells

XII

"E, com isso, voltei para cá. Devo ter ficado desacordado por muito tempo na máquina. Quando despertei, vi que a sucessão intermitente de dias e noites voltara; o sol retomara seu dourado, e o céu, seu azul. Eu conseguia respirar com mais facilidade. Os contornos flutuantes da paisagem iam e vinham em movimentos rítmicos. Os ponteiros giravam para trás nos mostradores. Enfim, voltei a ver as sombras baças de casas, evidências da humanidade decadente. Elas também mudaram e sumiram, e outras surgiram em seu lugar. Pouco tempo depois, quando o mostrador dos milhares de dias voltou a zero, a velocidade diminuiu. Comecei a reconhecer nossa humilde e familiar arquitetura; o ponteiro dos milhares voltou ao ponto de partida, e a noite e o dia começaram a se alternar cada vez mais devagar. Enfim, as velhas paredes do laboratório se ergueram ao meu redor. Bem, bem devagar, desacelerei o mecanismo.

"Vi uma única coisa que me pareceu estranha. Creio ter lhes contado que, na ida, depois de zarpar e antes de acelerar muito, vi srta. Watchett atravessar o cômodo, viajando em uma velocidade que me pareceu meteórica. Ao voltar, passei de novo pelo momento em que ela cruzara o laboratório. Mas, dessa vez, seus movimentos pareciam o exato inverso dos anteriores. A porta dos fundos se abriu e, em silêncio, ela caminhou de costas até desaparecer por onde entrara. Pouco antes disso, pensei ter visto Hillyer por um instante, mas ele passou como um lampejo.

"Enfim parei a máquina e me vi de novo no velho e familiar laboratório. Minhas ferramentas e utensílios pareciam estar exatamente como eu os deixara. Saí da máquina muito trêmulo e me sentei no banco. Tremi violentamente por vários minutos, e depois fui ficando mais calmo. Ao meu redor estava minha oficina, sem nenhuma alteração. Por um instante, cogitei ter dormido ali, e que a coisa toda não passara de um sonho.

"Mas não! O maquinário zarpara do canto sudeste do laboratório. Quando voltei, ele estava na extremidade noroeste, diante da parede, no ponto em que os senhores a viram. Essa diferença equivale à exata distância entre o pequeno gramado e o pedestal da Esfinge Branca, para debaixo da qual os Morloques haviam carregado minha máquina.

"Por um tempo, meu cérebro parou de funcionar, mas enfim me levantei e entrei por ali mancando, pois meu calcanhar ainda doía, e eu me sentia imundo dos pés à cabeça. Vi o *Pall Mall Gazette* sobre o aparador ao lado da porta. Descobri pela data que ainda era hoje e, ao consultar o relógio, soube que eram quase oito horas da noite. Ouvi a voz dos senhores e o tilintar dos talheres. Hesitei — estava me sentindo muito enjoado e fraco. Foi quando senti o cheiro rico de carne, e abri a porta para os encontrar. Os senhores já sabem do resto. Tomei um banho e jantei, e agora estou contando esta história."

Depois de uma pausa, ele continuou:

"Eu sei que isso soará por demais inacreditável. Para mim, inacreditável é eu estar aqui esta noite, neste cômodo familiar, olhando para rostos amigáveis e relatando minhas estranhas aventuras."

Ele se virou para o médico.

"Não. Não espero que acreditem em mim. Assumam isso como uma mentira — ou profecia. Digam que sonhei na oficina. Considerem que fiquei especulando sobre os destinos de nossa raça até dar à luz esta ficção. Tratem a afirmação de que esta é a verdade como um truque meu para conquistar o interesse dos senhores. E, partindo do princípio de que é apenas uma história, digam-me: o que acham?"

Ele pegou o cachimbo e, como lhe era costumeiro, passou a batê-lo com certo nervosismo nas barras do gradil da lareira. Houve um momento de quietude. Em seguida, as cadeiras começaram a ranger e os sapatos começaram a se arrastar pelo carpete. Desviei os olhos do rosto do Viajante do Tempo e analisei os arredores para conferir sua audiência. Estavam todos no escuro, e pequenos pontinhos de cor dançavam diante deles. O médico parecia absorto em uma contemplação sobre nosso anfitrião. O editor mirava fixamente a ponta de seu charuto — o sexto. O jornalista vasculhava o bolso em busca do relógio. Os outros, até onde me lembro, permaneceram imóveis.

O editor se levantou com um suspiro.

"Que pena o senhor não ser um autor de ficção!", disse, pousando a mão no ombro do Viajante do tempo.

"Não acredita em nada?"

"Bem, eu..."

"Achei mesmo que não acreditaria."

O Viajante do Tempo se virou para nós.

"Cadê os fósforos?", perguntou. Riscou um e, com o cachimbo na boca, baforando fumaça, continuou: "Para ser sincero... Nem eu acredito direito na minha própria história... Mas..."

Com uma interrogação silenciosa, seu olhar recaiu sobre as flores brancas no tampo da mesa. Depois ele virou a mão que segurava o cachimbo, e vi que inspecionava alguns machucados meio cicatrizados nos nós dos dedos.

O médico se levantou, chegou perto da luz e examinou as flores.

"O gineceu é estranho", comentou.

O psicólogo se inclinou para olhar também e estendeu a mão na direção do espécime.

"Mas que raios, já são quinze para a uma", disse o jornalista. "Como vamos voltar para casa?"

"O que não falta são carros de aluguel na estação", disse o psicólogo.

"É curioso", disse o médico, "mas não sei afirmar com certeza a ordem a que estas flores pertencem. Posso ficar com elas?"

O Viajante do Tempo hesitou. Em seguida, respondeu de repente:

"Claro que não."

"Onde o senhor as conseguiu de verdade?", insistiu o médico.

O Viajante do Tempo levou a mão à cabeça. Falou como se estivesse tentando capturar uma ideia que lhe fugia.

"Weena as colocou no meu bolso durante minha viagem pelo Tempo." Ele olhou ao redor do aposento. "Que o diabo me carregue! As lembranças estão todas sumindo. Esta sala, os senhores e a atmosfera cotidiana é coisa demais para minha memória. Eu de fato construí uma Máquina do Tempo, ou um modelo de Máquina do Tempo? Ou foi tudo um sonho? Dizem que a vida é um sonho — um pobre sonho precioso às vezes... mas não vou suportar outro surto. Isso é loucura. De onde veio esse sonho...? Preciso olhar a máquina. Se é que *há* uma máquina.

Ele pegou a lamparina em um gesto ágil e saiu com ela, brilhando rubra, pela porta que levava ao corredor. Nós o seguimos. Ali, sob a luz bruxuleante, jazia a máquina, sem dúvida nenhuma — robusta, feia e torta. Lá estava a coisa de latão, ébano, marfim e quartzo translúcido e brilhante. Sólida ao toque — pois estendi a mão e encostei em uma de suas proteções —, suja, com o marfim manchado de marrom, com pedaços de grama e musgo na base e com uma das barras tortas.

O Viajante do Tempo pousou a lamparina sobre a bancada e correu a mão pela proteção quebrada.

"Agora sim", disse ele. "A história que contei é verdadeira. Sinto muito por tê-los trazido até aqui neste frio." O Viajante ergueu a fonte de luz e, em um silêncio absoluto, voltamos para a sala de fumar.

Ele nos acompanhou até a entrada e ajudou o editor a vestir o casaco. O médico o olhou nos olhos e, com certa hesitação, disse que o Viajante estava trabalhando demais, ao que o homem caiu no riso. Lembrei de o ver parado à porta, desejando boa-noite.

Dividi uma carruagem com o editor. Ele disse que achava a narrativa uma "mentira espalhafatosa". Da minha parte, não conseguia chegar a uma conclusão. A história era por demais fantástica e inacreditável, mas o relato era crível e sóbrio. Passei a maior parte da noite acordado, pensando nisso. Decidir visitar o Viajante do Tempo de novo no dia seguinte. Disseram-me que ele estaria no laboratório e, como morava perto de sua casa, fui até lá. O laboratório, no entanto, estava vazio. Fitei a Máquina do Tempo por um instante, estendi a mão e toquei numa das alavancas. Quando o fiz, a coisa robusta e substancial oscilou como uma moita chacoalhada pelo vento. Sua instabilidade me sobressaltou violentamente, e tive uma estranha sensação que me fez lembrar de quando era criança e me diziam para não mexer nas coisas. Voltei pelo corredor. O Viajante do Tempo me encontrou na sala de fumar. Vinha do interior da casa, e trazia uma pequena câmera sob um dos braços e uma bolsa de viagem na outra. Riu quando me viu, e me deu uma cotovelada como cumprimento.

"Estou absurdamente ocupado com aquela coisa ali", contou.

"Quer dizer que não foi uma farsa?", perguntei. "O senhor de fato viajou pelo tempo?"

"Viajei. Essa é a verdade nua e crua." Ele me encarou com uma expressão franca, depois hesitou. Seu olhar percorreu o cômodo. "Preciso apenas de meia hora", continuou. "Sei por que veio, e é muito bondoso da sua parte. Tem algumas revistas ali. Se ficar para o almoço, posso lhe apresentar provas. Dessa vez vou viajar até o ponto mais distante possível, e trarei espécimes e tudo. Se me dá licença, preciso partir."

Consenti, mal compreendendo a importância de suas palavras, e ele aquiesceu seguindo pelo corredor. Ouvi a porta do laboratório bater, sentei-me em uma cadeira e peguei o jornal do dia. O que o homem faria até a hora do almoço? De súbito, quando vi um anúncio, lembrei-me de que prometera me encontrar com Richardson, o editor, às duas. Consultei o relógio e vi que já estava em cima da hora. Levantei-me e entrei no laboratório para avisar o Viajante do Tempo.

Quando coloquei a mão na maçaneta, ouvi uma exclamação estranhamente cortada no fim, um estalido e um baque surdo. Uma lufada de ar rodopiou ao meu redor quando abri a porta, e da oficina veio o som de vidro se quebrando no chão. O Viajante do Tempo não estava ali. Por um momento, pensei ter visto um vulto fantasmagórico e indistinto sentado em meio a uma massa giratória de escuridão e lampejos de latão — um vulto tão transparente que era possível enxergar distintamente a bancada atrás dele, onde repousavam os desenhos esquemáticos da máquina. Tal espectro, porém, desapareceu quando esfreguei os olhos. A Máquina do Tempo não estava mais ali. Além de uma nuvem de pó que já se acomodava, a extremidade do laboratório estava vazia. Ao que parecia, uma das lâmpadas do teto acabara de explodir.

Senti um maravilhamento irracional. Sabia que algo estranho acontecera, e por um instante fui incapaz de entender o quê. Continuei encarando o mesmo ponto; a porta para o jardim se abriu, e o criado apareceu.

Olhamos um para o outro. Ideias começaram a me ocorrer.

"O senhor — saiu por ali?", perguntei.

"Não, senhor. Ninguém passou. Esperava encontrar ele aqui dentro."

Foi quando entendi. Continuei ali, mesmo correndo o risco de decepcionar Richardson, à espera do Viajante do Tempo; à espera de sua segunda história, que talvez fosse ainda mais estranha, e pelos espécimes e fotografias que traria consigo, mas começo agora a pensar que talvez precise esperar a vida toda. O Viajante do Tempo sumiu há três anos. E, como todos já sabem a esta altura, ele nunca mais voltou.

A Máquina do Tempo

Wells

EPÍLOGO

Tudo o que resta é a dúvida. Será que ele voltará? Talvez tenha retornado ao passado, onde pode ter ido parar entre os selvagens peludos e canibais da Idade da Pedra Lascada. Pode ainda ter acabado no Mar Cretáceo, ou na época dos grotescos dinossauros, os enormes e violentos répteis do Jurássico. Ele pode, neste instante — se é que posso usar essa frase —, estar vagando por um recife de corais oolíticos ameaçado por plesiossauros, ou ao lado dos solitários lagos salinos da Era Triássica. Ou será que foi para o futuro, mas para épocas mais próximas — uma era em que os humanos ainda são humanos, embora os enigmas de nossa época tenham sido respondidos e nossos maiores problemas, resolvidos? Ele pode ter ido para a maturidade de nossa raça; pois, na minha opinião, não acredito que estes nossos tempos de experimentação fraca, teorias fragmentadas e discordância mútua são de fato o ápice da humanidade! Na minha opinião, reforço. Essa questão já era discutida muito antes da construção da Máquina do Tempo, então sei que o Viajante tinha uma visão desanimada em relação ao Avanço da Raça Humana e via no monte crescente de civilização apenas uma estúpida pilha que inevitavelmente desmoronaria e acabaria destruindo seus construtores. Se isso for de fato verdadeiro, cabe a nós viver como se não fosse. Mas, para mim, o futuro ainda é obscuro, uma página em branco — uma vasta ignorância, iluminada em alguns pontos casuais pelas lembranças da história do Viajante. E tenho comigo, como um pequeno conforto, duas estranhas flores brancas — agora enrugadas, amarronzadas, amassadas e quebradiças —, testemunhas de que mesmo depois que a inteligência e a força partirem, a gratidão e a ternura mútua ainda habitarão o coração humano.

OUTRAS VIAGENS NO...

Irmãs
Aranhas

ALINE VALEK

Na linha que não começa nem termina, Jaqueline fez um nó. Metros e metros de linha grossa que ela transformava em uma escultura de macramê, pendurada no centro do seu ateliê. Ocupava metade do seu dia ali; a outra metade passava atendendo telefone, preenchendo planilhas, vendendo pacotes de passeio guiado para turistas.

"As cavernas mais encantadoras da Chapada", prometia o folheto da sua pequena agência. Ela sabia que quem mais encantava nos passeios era o guia, seu sobrinho Diogo. Moreno de uma simpatia cristalina, fez curso de inglês. As gringas o adoravam. Para Jaque, era como um filho. Mas, quando estava metida em seu ateliê, puxando e amarrando barbante, queria saber de ninguém por perto, nem Diogo, ou o processo não fluía.

Seu meio expediente como artista era o momento de ela mesma virar turista, mas para visitar outros tempos: deslizava seus dedos pelos fios e os amarrava, até encontrar linhas vindas de outra direção — podiam ser de qualquer material ou qualidade — que a conduzissem a lugares onde tudo tinha a sensação de ter acontecido antes. Era uma técnica trabalhosa aquela de criar pontos com a malha do Tempo; mas Jaque procurava mais do que apenas visitar outras épocas enquanto criava aquela escultura de amarrações assimétricas; ela buscava o momento de impedir a tragédia.

Jaque amarrou um nó e deslizou os dedos pelo fio do macramê, até sentir, na outra ponta, um cadarço desamarrado. Não estava mais em seu ateliê, mas na frente da casa que viveu na infância, caída no chão, o cadarço traiçoeiro na mão. Tinha tropeçado, apesar de se sentir embaixo d'água. Ao seu redor, todas as coisas e pessoas pareciam submersas, mas ninguém demonstrava ter consciência da água, nem mesmo sua mãe, que vinha do outro lado da rua, as mãos ocupadas em segurar no colo uma bebê.

"Presta atenção, Jaqueline! Parece que não olha para onde vai", ela brigou com uma voz que soava como bolhas.

Jaqueline se levantou estranhando a leveza daquele corpo pequeno demais e catou sua lancheira no chão. Devia nem ter idade de saber amarrar os próprios cadarços, porque veio sua mãe pedir para que segurasse a irmãzinha enquanto ela arrematava o nó com um laço borboleta.

Foi tomada de emoção quando sentiu o corpo de Helô em seus braços, usando apenas uma fralda de pano. Tão pequena e tão pesada. Jaque preferia não a largar, tinha medo de deixar aquele corpo cair, mas a entregou de volta aos braços da mãe e foi atrás dela — sem correr — no caminho de volta para casa.

"Agora vai tirar esse uniforme", a mãe disse, assim que passaram da porta que Jaque havia atravessado tantas vezes, havia tanto tempo.

Não havia muito o que ser feito ali, era cedo demais. Andou pela casa como uma detetive à procura de pistas, mas era difícil enxergar detalhes quando todos os cômodos estavam debaixo d'água. O que estava procurando? Como ia saber quando encontrasse? Talvez a mãe tivesse razão e lhe faltasse prestar atenção; quem sabe, se olhasse para o lugar certo, no momento certo, arranjasse um jeito de desfazer o acidente de escalada que mataria Helô, trinta e cinco anos mais tarde, em uma queda de trinta metros de altura.

Cada viagem à Dimensão Molhada tinha a duração de um mergulho: poucas horas e Jaque estava de volta ao seu ateliê, a vista embaçada e os dedos cansados de fazer nós tão firmes. O resultado que ficava impresso nos fios do macramê era um bordado caótico, que Jaque terminava quando prendia um bastão de madeira a uma das extremidades, de onde ela partiria em sua próxima sessão. Afastou-se da escultura e deu uma boa olhada em como o bordado se desdobrava em todas as direções, em uma estrutura que às vezes lembrava uma gaiola, ou uma armadilha, ou um cubo cheio de franjas que nunca se fechava em si mesmo.

Em um bloquinho de notas, Jaque escreveu "olhar para o lugar certo", abaixo de outras anotações que havia deixado no papel: "por que não usava corda?", mas era difícil obter qualquer resposta em sequência se ela nunca sabia onde ia parar quando começava a navegar pelos fios. Ainda assim, a técnica de viajar no tempo era o de menos; complicado era saber o que fazer para conseguir alterar o momento do acidente.

Quando prosseguiu outro dia, Jaque seguiu a linha do macramê em direção ao passado até chegar a um elástico, que fazia a volta em torno da sua cintura e de um poste, dois metros à sua frente. Era a vez da irmã de pular.

"Que ano é hoje?", Jaque perguntou, quando se notou cercada de uma água que só ela via. Helô não estranhou; desde pequena ouvia a irmã fazer aquela pergunta, mas às vezes respondia aborrecida, porque indicava que Jaque estava tão desatenta que parecia ter saído do corpo.

"Não vai me desconcentrar, Jaqueline!" Aquela era uma altura crítica para Helô, que aos 8 ainda não tinha envergadura para pular tão alto. Até tirou os chinelos antes de começar os movimentos de dominar o elástico. Do outro lado da rua, Jaque viu a fachada da sua casa da época, onde, amarrada às grades do portão, havia uma placa anunciando os serviços da mãe: "Costureira – Consertos em Geral".

Seu olhar atravessou a janela do quartinho de costura e, por uma fresta, viu que havia mais alguém ali, conversando com a mãe. Quem era? Não se lembrava de ter olhado alguma vez para esse detalhe no canto daquela cena, de forma que não viu seu movimento distraído fazer o elástico escapulir por debaixo dos pés de Helô, bem na hora do pulo. A irmã foi lançada como se por um estilingue, voou com a boca no asfalto.

O baque e o gemido mostravam que mesmo na Dimensão Molhada o efeito da gravidade era o mesmo: Jaque correu para acudir uma Helô caída, atordoada com a mão na bochecha escoriada, embora não chorasse. Os dedos de Jaque abriram caminho por entre os lábios da irmã em busca de um estrago maior, mas nada de sangue. Em vez disso, um único dente da frente rachado, uma ponta faltando. Helô catou do chão o pedaço, como quem encontra uma minúscula peça de porcelana muito valiosa; Jaque tomou o pedaço de dente e o pesou entre os dedos. "Não era para ter sido assim", ela disse, em choque.

Jaque já havia tentando alterar pequenos detalhes antes, mas nada tão marcante quanto arrancar um pedaço da sua irmã. Estariam encrencadas, sim, mas aquilo deveria valer de algo. Quem sabe aquele acidente a fizesse ter medo de pular, tornasse Helô menos corajosa, cada vez mais afastada das linhas que até então faziam com que tudo voltasse a acontecer como sempre aconteceu? Uma chance. Então Jaque voltava a seu ateliê e percebia com desgosto que nada significativo havia mudado, o macramê continuava lá, Diogo continuava sem mãe, e Jaque ainda sentia a acidez da culpa na boca.

Passou noites enfiada no ateliê, dedicada a fiar. Começava com o fio de algodão até entrar no transe que a levaria a algum ponto da Dimensão Molhada: então um fio de arame, uma cerca no meio do mato, que levantava para seus amigos passarem. Havia uma cachoeira ali perto, ela se lembrou. Estavam com mochilas, peles bronzeadas, latinhas de cerveja e a supervisão de nenhum adulto; ela a mais velha do grupo. Helô estava lá, o puro entusiasmo de conhecer Alto Paraíso, como se já tivesse decidido que tinha encontrado seu lugar.

"A gente podia vir morar aqui depois de se formar", Helô comentou e um amigo calculou quantos anos faltavam para terminar o colégio.

"E vai viver de quê, de vender miçanga?", ninguém entendeu o mau humor repentino de Jaque, soando como uma mulher de quase cinquenta anos — porque, de fato, era.

"Muito melhor que ficar num escritório numa cidade horrorosa. Arranjo um jeito de trabalhar no meio da natureza, sei lá", Helô respondeu — e, de fato, arranjaria.

A cachoeira da Dimensão Molhada se apresentou com o mesmo encanto daquela de anos atrás. O frescor exercia uma atração magnética e os jovens ficaram todos com peças de roupas a menos. Um garoto deu um mergulho, as garotas sentaram na água, Jaque ficou olhando da pedra. Mergulhar não tinha a mesma graça para quem viajava no tempo; tudo era água mesmo. Os meninos encontraram um jeito de subir pelas pedras e um pulou do alto. Aplaudiram, gritinhos de aprovação. Helô quis subir também: "estilo Tarzan", o amigo explicou, mostrando como subir pela corda presa entre as pedras. Da primeira vez, Jaque nem viu quando a irmã subiu; havia visto o salto e, então, a irmã emergir de um belíssimo mergulho. Daquela vez, Jaque estava atenta, sabia onde aquela intimidade com a natureza ia parar.

"Sobe não, doida", ela repreendeu, mas Helô não voltava atrás, nunca.

"Helô se você se machucar, eu te mato", Jaque insistiu.

"Tenho medo não", Helô respondeu subindo pela corda, e Jaque sabia que era bem esse o problema.

"Não pula!", foi o que Jaque gritou quando viu a irmã no alto da pedra.

Ela balançou os braços finos lá de cima, as amigas começaram a gritar "Pula! Pula".

"Não, Helô!", Jaque tentou gritar mais alto, para competir com o som da cachoeira, com o incentivo das meninas, com a resistência da água naquela dimensão. "Não pula, você vai morrer!" A ideia era criar medo, mas acabou soando como um desafio.

Helô pulou com a força da raiva. Saiu da água de cara fechada. Jaque ouviu uma amiga vaiar, outra dizer "sai com essa energia negativa pra lá". O passeio ficou esquisito.

Jaque voltava e voltava e voltava. Uma vez, voltou pelo fio do varal, enquanto estendia roupas no quintal da primeira casa em que pagou aluguel, perto da rua onde passaram a infância. Lembra então que precisa ligar para a irmã, não viviam juntas desde que a mãe morreu — várias partes do macramê representavam as viagens que Jaque fez para conversar com Helô pelo telefone, tentativas sucessivas de convencê-la a ir embora da Chapada, ir viver com ela, mas Helô não queria saber de voltar para aquela cidade. Teimosa demais para voltar atrás, mas e se pudesse ir para outro lugar?

Jaque aproveitou sua passagem pela Dimensão Molhada para se inscrever em um concurso público. Voltou ao ateliê e descobriu que havia funcionado, ela tinha estudado e passado, foi morar numa boa casa na capital, estabilidade, bom salário, e ainda assim voltar àquele ateliê significava sempre que havia fracassado, que não conseguira convencer Helô a ficar perto dela, a não virar guia turística, a se afastar da Chapada, do lugar do acidente.

Voltou à Dimensão Molhada pelo fio do telefone no escritório, ouviu a voz da irmã, como de costume, contar como estava. Jaque quase não tinha novidades, funcionalismo público não era lugar de aventuras, mas Helô tinha muitas. Estava morando com um cara, estava apaixonada, engravidou. Jaque sabia que o sujeito não prestava, que ele sumiria logo, em alguns meses a irmã contaria também pelo telefone. Jaque precisava tentar, encontrar um fio qualquer que pudesse puxar para alterar todo o bordado: "Vem morar comigo, deixa eu te ajudar a cuidar dessa criança! Ele vai crescer sem pai mesmo, do que adianta você ficar aí?" Helô não entendia de onde a irmã tinha tirado aquela ideia.

"Esse homem é um lixo, ele vai te trocar pela primeira gringa que aparecer, vai te deixar sozinha assim que nascer seu filho. Você quer ficar sozinha igual nossa mãe?"

Helô engasgou do outro lado, bateu o telefone dizendo "não fala mais comigo!". O problema de avisar sobre as coisas ruins que estavam para acontecer era virar mensageira do mau agouro que ninguém mais queria ouvir.

"Sozinha igual nossa mãe", Jaque escreveu em seu bloco de anotações. Se pudesse voltar ao momento daquela ligação, evitaria dizer aquelas palavras. Mas voltar ao mesmo ponto no tempo mais de uma vez era tão improvável quanto ganhar na loteria.

"Tia, tô saindo", Diogo passou cheiroso pela porta do ateliê, Jaque não precisava perguntar para onde; cidade daquele tamanho tinha um só lugar para curtir a noite.

"Guardei a comida na geladeira", ele avisou e deu um beijo no topo da cabeça descabelada da tia. Fazia tempo não jantavam juntos, Jaque metida naquele ateliê até tarde, feito artista obcecada.

Ela também tinha lugares para onde precisava ir: as correntes de um balanço no quintal de casa. Criança novamente. A irmã quicava uma bola contra a parede. Jaque desceu do pneu-balanço e entrou em casa, enfrentando a resistência da água — era mais difícil se mover na Dimensão Molhada quando ia contra o fluxo, agindo de forma diferente do que já havia acontecido antes. Da porta da sala, conseguia ver a mãe conversando com alguém na cozinha. Era O Amigo da Mamãe, porque sempre tinha um amigo, nunca mais de um. A Jaque que passava pela Dimensão Molhada tinha maturidade para entender aquilo, o significado do que diziam, a distância entre seus corpos, os sorrisos.

Então um baque e um grito ecoaram do quintal e alertaram a mãe, que disparou pela porta quando percebeu que era Helô estatelada no chão.

"O que tá fazendo aí que não estava olhando tua irmã?", ela gritou quando passou por Jaque, parada na porta da sala. Foram socorrer a pequena, que tinha tentado escalar o muro para pegar a bola arremessada sem querer no quintal do vizinho. Chorava, os cotovelos ralados até a carne.

"O que eu poderia ter feito?", Jaque gritou a pergunta que ecoava a quarenta anos de distância. A mãe levou Helô para dentro, dizendo que foi só um susto, que ela ia ficar bem, mas Jaque sabia que não.

"Tenho que ir, melhor eu voltar quando você estiver menos ocupada", o Amigo da Mamãe se despediu, não era problema dele, não estava ali para cuidar de filho dos outros.

A mãe não olhou para ele indo embora, passava merthiolate numa gaze para cobrir o ferimento da filha. "Viu, passou", ela disse para uma Helô mais calma — e ali Jaque conseguiu ver a mãe fazendo uma escolha da qual não voltaria atrás mesmo se pudesse.

Jaque ia e voltava, do ateliê para a Dimensão Molhada, mas não tinha a sorte de encontrar o momento de tomar qualquer ação que pudesse ser decisiva. Um dia, foi dos fios de macramê aos da teia de uma aranha, de repente emaranhados em seu braço enquanto atravessava uma parte mais fechada da trilha. As cigarras soavam ainda mais estridentes naquela dimensão. Conseguiu voltar ao caminho que levava à cachoeira e ao fatídico paredão, talvez a tempo de impedir Helô de escalar; mas, quando se virou e viu um bombeiro vir em sua direção, sabia que era tarde demais.

"Dona Jaqueline, não há o que a senhora possa fazer aqui", e ele já tinha explicado que a expedição de busca continuava a trabalhar, mas não conseguiam encontrar o corpo da irmã.

Na cheia do rio, as águas ficavam violentas. Helô, que havia caído na água, já deveria estar longe àquela altura, três dias depois da queda. Jaque tinha um funeral para organizar, ela se lembrou, mas não teria um corpo para se despedir, apenas uma ausência que continuaria a movê-la para frente e para trás, mas jamais a tirando daquele lugar de desespero. Ela se agachou no mato e começou a chorar, mas suas lágrimas apenas se misturavam ao líquido em torno dela, das árvores retorcidas e de um bombeiro tentando acalmá-la, acostumado demais a tragédias daquele tipo.

Jaque levou um susto ao voltar e ver Diogo entrar na agência com o rosto ensanguentado, pendurado no ombro de um amigo. "O que aconteceu?", Jaque não entendia, era tarde, estava cansada, ajudou a levar o sobrinho para casa, nos fundos da agência. Estavam bêbados, Diogo sem condições de explicar coisa alguma depois de levar pancada na cabeça.

Foi o amigo que tentou contar a confusão: estavam no boteco, vieram arranjar briga com Diogo, uma encrenca por causa de mulher, a sorte era que tinha gente para separar ou ele teria sido moído na porrada ali mesmo. Jaque ouvia tudo enquanto passava uma toalha molhada no rosto do sobrinho, até achar o corte na sobrancelha de onde escorria o sangue. Talvez ela precisasse dar um ponto. O que mais a preocupava era não ter visto como aquilo aconteceu, como Diogo perdeu o juízo daquele jeito, refletindo os mesmos defeitos de um pai que nunca conhecera. O que Jaque poderia fazer para impedir aquela história de se repetir? Trazer Helô de volta parecia a única resposta. Jaque precisava tentar mais.

Preparou um pedaço comprido de cordão branco, porque planejava fazer uma longa viagem: precisava terminar de vez aquele macramê. Começou a amarrar; de nó em nó, seus dedos foram parar em volta de um outro cordão, de carne, preso à sua barriga. Pela primeira vez se sentiu flutuando na Dimensão Molhada, de cabeça para baixo dentro de uma bolsa d'água.

Tinha voltado demais, para a barriga da mãe, de onde não dava para fazer muita coisa, exceto aproveitar um momento bem antes de tudo dar errado, antes de a irmã existir, antes de a mãe precisar lidar com duas crianças sozinha. Não que ali fosse mais impotente do que em qualquer outro ponto da sua linha da vida, onde também não tinha conseguido mudar muita coisa. Voltou aos fios de macramê, respirou, mergulhou de novo.

Torceu para avançar mais no tempo, mas não esperava que fosse tanto: agarrou-se a um tubo plástico ligado ao seu braço e notou que estava deitada em um quarto de hospital. Olhou para seus braços e se perguntou se sua pele havia enrugado tanto por causa da Dimensão Molhada ou se, pela primeira vez, vivia tempos futuros.

"Vó, não mexe aí", disse uma moça sentada perto da cama, mas Jaque não entendia como poderia ser avó.

Olhou bem fundo nos olhos da jovem, em busca de algum reconhecimento. Filha de Diogo? A moça tentou acalmá-la, ao perceber que Jaque parecia desorientada, agitada. Os aparelhos ao lado da cama começaram a apitar e Jaque sentiu uma falta de ar invadi-la aos poucos. A neta segurou firme em sua mão, porque temia que depois de tanto lutar naquele hospital, Jaque estava partindo.

"Tudo bem", era a vez de Jaque tranquilizar a garota, "não acabou ainda".

A linha do monitor cardíaco ficou reta, mas em vez de Jaque deslizar para a escuridão completa, voltou ao ateliê frustrada por mais uma viagem perdida.

Não aguentava mais se mover em círculos naquele labirinto de linhas, sem jamais conseguir trazer a irmã de volta. A única coisa que suas viagens conseguiam mudar era a própria Jaque, que desde cedo se tornou pessimista e dona de uma carga imensa de tristeza que ninguém entendia de onde vinha — assim como sua mania de sempre perguntar em qual ano estavam.

Quando voltou à Dimensão Molhada, segurava uma linha vermelha, vinda de um novelo que havia desenrolado em alguma brincadeira que inventou no quarto de costura da mãe. A linha se espalhava pelo chão em todas as direções, uma bagunça. Jaque tentou fazer algo diferente: enrolar de novo, ciente de que viria a bronca da mãe. Mesmo isso não conseguia fazer tão bem, porque seus braços eram curtos e seu corpo mais difícil de equilibrar contra a resistência da água. Na tentativa de fazer a linha voltar a ser novelo, acabou embolando tudo em nós que não conseguia desfazer.

Jaque sentou no chão e chorou; mas, daquela vez, quem apareceu para acalmá-la foi a mãe, grávida, que vinha da cozinha: "o que foi, Jaque?", sua voz era de uma preocupação carinhosa.

"Eu estraguei tudo", Jaque tentou dizer pela voz embolada da sua versão de três anos de idade. Falava não só do novelo, mas de tudo o que tinha feito com as linhas do seu macramê, décadas depois.

"Por que você está tentando consertar?", a mãe tomou o novelo, avaliando a extensão de linha desperdiçada.

"Às vezes tentar consertar só piora as coisas", e era quase como se ela soubesse, o tempo inteiro, o que precisava ser feito. Buscou a parte da linha onde os nós começavam, irreversíveis, e arrebentou a ponta embaraçada. "Tem que deixar ir", e Jaque viu a linha vermelha flutuar até cair no chão, sem peso.

Sentiu seu próprio corpo sendo suspenso, a mãe a pegando no colo, onde dividiu espaço com a barriga onde Helô vivia naquele tempo. Sua mãe tinha razão. Foi naquele momento, em que não havia nada a consertar, que Jaque sentiu que algo mudava: parou de lutar contra a água e deixou que ela seguisse seu fluxo.

A Dimensão Molhada se desfez nas lágrimas que cobriam seu rosto cansado, quando voltou ao ateliê, bem no centro de sua escultura.

"Diogo!", ela gritou, e repetiu "Diogo, venha aqui", até que o sobrinho aparecesse na porta, um curativo na sobrancelha. Ele precisou atravessar o macramê labiríntico, desviar de cortinas de cordões amarrados, contemplar a escultura por dentro e passar por paredes feitas de nós até encontrar a tia, que beijou-lhe a testa, emocionada. "Preciso da sua ajuda", ela disse.

"As cavernas mais encantadoras da Chapada", prometia o folheto. Mas o cenário mais impressionante os turistas só viam quando de fato passavam pela caverna de pedras claras e úmidas, guiados por Diogo, e deparavam com uma imensa instalação artística suspensa no meio de uma das galerias: um labirinto de teias que se desdobravam em todas as direções, como se a caverna fosse habitada por enormes aranhas.

Os turistas não faziam ideia de que olhavam para caminhos traçados pela dimensão invisível do tempo; o que sabiam era que aquele macramê na caverna ficava ótimo nas fotos que eles levariam de recordação da viagem.

H.G.W.
Agência de Viagens

FELIPE CASTILHO

Filipe Klein Pinto, gerente da agência 0001 do Banco Federal na pequena cidade de Marasmo (que era uma cidade do interior mas nem tanto), arrumou a placa com seu nome sobre a escrivaninha: *Filipe K. Pinto* – Gerente.

Sorriu, e olhou para a hora no canto de seu computador: 16:19. Sorriu de novo, mas por um momento pensou: um sorriso emendado no anterior deveria ser considerado o mesmo sorriso ou um novo?

Filipe pensou que pensava demais e não perdeu tanto tempo assim com seu *risoboros*, pois faltavam apenas 40 minutos para o fim do seu expediente.

Todos os dias eram iguais por ali. Marasmo vivia numa bolha temporal onde o mesmo dia parecia se repetir *ad infinitum*. Quem viveu um, viveu todos. E na opinião de Filipe, dias iguais eram bons, pois não vinham acompanhados de surpresas como términos de relacionamento e demissões. Um emprego estável era um emprego que nunca lhe demitiria, e um gerente de banco concursado precisaria fazer algo MUITO errado para ser exonerado. O mesmo método servia para relacionamentos: se eles nunca começassem, nunca iriam acabar. Filipe se orgulhava de nunca ter tido um coração partido, e fingia que isso era por sua escolha.

Às vezes pensava que sua vida podia ser *mais*. Não sabia exatamente em que sentido, mas o *mais* poderia ser qualquer coisa adicional em sua rotina. Imaginou a si mesmo comprando jornais em outra banca, por exemplo. Mas aí Filipe precisaria comprar jornais repetidos, pois lhe faltava coragem de simplesmente *parar* de comprar jornais com Seu Agenor depois de tantos anos no mesmo ritual — mesmo com o jornaleiro cutucando o ouvido com a unha do mindinho que era mais comprida que as outras, o que sempre lhe causava nojo.

Filipe não conseguiria quebrar a sua rotina e a de mais ninguém. Talvez, ele pudesse aprender algo. Crochê, quem sabe. A ideia lhe deu calafrios e acelerou seu coração. Uma mudança tão radical abalaria suas estruturas, ou pior: ele poderia descobrir não ter estrutura nenhuma. Logo desistiu de pensar nessa selvagem realidade alternativa onde a sua rotina divergia. Pensou novamente no emprego estável, e em como ficaria bem enquanto se mantivesse na linha, longe de encrencas.

O relógio mudou para 16:20.

Como um autômato com um programa ativado por *timer*, Filipe levantou-se. Só de pensar no que faria a seguir, seu coração já tratou de ir desacelerando. O movimento nulo do dia lhe permitia *fumar um* na saída de emergência da agência. Como em todos os dias desde que descobrira os benefícios de seu cigarrinho especial.

O gerente concursado apalpou o bolso da sua calça de sarja e sentiu ali a presença do recheio de baseado, comprado do traficantezinho crossfiteiro que fazia a entrega diretamente na sua mesa: Filipe mandava uma mensagem para o rapaz, que prontamente vinha tirar uma dúvida imbecil sobre sua conta corrente. Coisas do tipo "eu posso depositar um poema no caixa eletrônico 24 horas?". O traficante pegava a senha para atendimento, pedia dicas de investimento e empréstimo – que nunca se concretizavam – e no final passava o pacotinho suspeito para o gerente dentro de um discreto aperto de mão de despedida, 7 ou 8 minutos depois do início do atendimento. Fillipe sentia-se um gênio do crime sempre que via o rapaz indo embora. A última vez havia sido há trinta minutos. E lá estava a sua erva.

Desceu as escadas. Paredes cinzas, degraus cinzas. O dia lá fora provavelmente também estaria cinza, pois nem o clima de Marasmo ousaria estourar aquela bolha tão bem cultivada. Filipe foi até a saída de emergência e enrolou um cigarro que de longe mais parecia um cone de sorvete. Deu de ombros. Sorvete também era bom.

A primeira tragada veio com uma pontada no meio da testa de brinde. Algo estava diferente, era óbvio. Olhou para o cigarro com a cara de quem olha para a sujeira debaixo das unhas, com a diferença que não colocamos a unha na boca após constatarmos impurezas — exceto, talvez, o Seu Agenor da banca de jornal.

O cigarro voltou para seus lábios, ressecados. A erva era diferente do habitual, mas não chegava a ser ruim. Apenas... *diferente*. Filipe sentiu um calafrio e continuou com seu ritual, até Leandra, a senhora dos serviços gerais, aparecer na beiradinha da escadaria, de mãos na cintura.

— Tem um senhorzinho todo murcho esperando pra ser atendido.

— Impossível — rebateu, categórico, sem parar de fumar. Leandra sabia de tudo, mas jamais diria nada.

— Tô falando, homem. Também estranhei o cliente a essa hora, mas ele tá lá.

— Não consegue tirar a dúvida dele, Leandra?

— Até conseguiria, porque 15 anos nesse muquifo me ensinaram uma coisa ou duas sobre seu trabalho. Mas eu não recebo o seu salário.

Filipe resmungou. Vida injusta. Apagou a ponta do seu cigarro e o guardou para mais tarde, arrastando os pés e sentindo uma leve dormência na testa.

Sentado na frente de sua mesa, segurando a sua placa com nome e cargo e sorrindo de um jeito familiarmente perturbador, estava o homem mais feio que ele já havia visto em toda a sua vida. O rosto, que estava em algum ponto entre uma batata e um pudim que deu errado, era o de menos. O cliente emanava uma repulsa inexplicável. A feiura estava nos olhos. No não piscar deles. E também em algo *dentro* deles, pensou Filipe, tentando imaginar o porquê daquele homem lhe incomodar tanto antes de sequer abrir a boca. O gerente estendeu a mão para o cliente, que entendeu tarde demais que o gesto era para tomar a placa de volta, e não para cumprimentá-lo.

— Em que posso ajudá-lo? — perguntou Filipe, sem perceber que estava fazendo uma careta.

— A pergunta certa seria: será que eu devo ajudá-lo?

Filipe intensificou a sua careta a ponto de tomar consciência dela.

— Quê?

— O que eu quero dizer — o sujeito falava, buscando algo numa bolsa-carteiro que estava em seu colo — é que você não está em posição de fazer perguntas, e sim a um passo de tomar decisões. Importantes decisões.

Filipe juntou as mãos diante do rosto. Era sua pose intelectual preferida sempre que se sentia acuado, confuso ou ambos; que era o caso.

— Muito bem. Pelo visto você é pastor, não é? — Filipe começa a remexer em uma papelada sobre a sua mesa, sob o olhar feio e atento do outro — Temos um programa bom de empréstimo para aberturas de igrejas e bingos clandestinos...

Filipe tomou um tapa nas costas de suas mãos, num movimento rápido demais para aquela batata velha e enrugada. Os olhos. A velocidade dos movimentos. As coisas não combinavam. Ele não devia estar ali. O ponto adormecido em sua testa pareceu pulsar, e Filipe sentiu-se mais patético do que nunca.

— Você... me bateu?

— Você vai fazer por merecer.

— Eu ia te oferecer um empréstimo!

— E eu aceitarei o empréstimo... — o homem disse, pausando dramaticamente antes de arrebatar — do seu tempo.

Filipe recostou-se em sua cadeira. A mão agredida apontou para o homem.

— Sabia que você era familiar!

O homem pareceu satisfeito. Empertigou-se. Filipe continuou, extravasando a sagacidade num tapa na escrivaninha.

— Você é aquele filósofo pop! O coach dos famosos!

— Quê? Meu Deus, eu... *não!*

— Não?

— Filipe, seu idiota, *eu sou você.*

O gerente sentiu o chão desmaterializar-se sobre seus pés. A dormência na testa alastrou-se. Seja em que contexto fosse, a frase "eu sou você" jamais seria dita em alguma conversa saudável, normal e rotineira. O efeito do cigarro fez o céu de sua boca formigar. Uma leve tontura acompanhou. Então, após perceber que a ojeriza pelos olhos alheios era simplesmente a repulsa de encontrar os próprios olhos fora de um espelho, Filipe abriu a boca lentamente e pegou-se dizendo um inesperado:

— Ah.

— Que reação incrível. Você entendeu o que eu disse?

— Acho... que sim. É que eu acabei de tomar um, hmmm... *medicamento controlado*. E você se revelou meio assim, sem anestesia...

— Revelar agora, depois... tanto faz — o Filipe mais velho desenhou um círculo no ar, dramaticamente — O início e o fim. A noite e a madrugada. A polícia e o ladrão. O tempo é não linear e...

— Mas você nem se parece comigo.

— Eu tive um acidente por causa dos... excessos de saltos temporais.

Filipe remexeu-se em sua cadeira. Sua mão pegou o grampeador sobre a mesa, por motivo algum. E então o soltou. Uma sequência de movimentos morosos e sem propósito.

— E você está aqui para me alertar a não virar — apontou a mão brevemente para o homem como se perguntasse o preço de um melão na feira, e então completou — isso?

— De maneira alguma. No meu *quando*, marcas de viagem no tempo são consideradas sexy.

O velho piscou. Mas o seu rosto era tão enrugado que Filipe não percebeu.

— Certo. Como eu posso te ajudar então?

— Me deixando lhe ajudar. — o suposto Velho Filipe fez uma pausa e olhou para os lados. Dona Leandra estava do lado da porta giratória ao lado de Marcos, o segurança. Ambos estavam de braços cruzados só esperando o cliente ir embora, mas mesmo assim Leandra era a mais ameaçadora dos dois. — Venha, quero te levar a outro lugar com mais privacidade.

O gerente levantou-se e cambaleou brevemente. Aquela erva não era mesmo a de sempre. Não podia ser. Com delicadeza, o velho ofereceu o ombro para que ele se apoiasse e foram andando para os fundos da agência.

— Para onde você está me levando? Pra uma cabine telefônica azul?

— Essas coisas não existem no Brasil. No máximo orelhões, mas eu não vi nenhum desde que cheguei aqui.

— Você podia viajar no tempo dentro de uma caçamba de entulho... seria o máximo!

— Uhum. Cuidado com o degrau...

— E como você pode me provar que eu sou você?

— Simples. Eu posso te dizer algo bem pessoal. Por exemplo, sua cor favorita é laranja.

— Errou — Filipe respondeu – É bege.

Abrindo a porta que levava às escadarias, o velho fez os olhos rolarem para lá e para cá.

— Uau. Tinha me esquecido como eu era nessa idade. Venha, vamos descer.

No meio do lance de escadas, Filipe parou. Olhou para o teto, pra as paredes cinzas, para os degraus.

— Meu Deus.

— O que foi? Vai vomitar?

— Não, é que... talvez essa coisa de viagem no tempo seja real. Eu estou tendo um *deja vù* agora mesmo!

O velho olhou para os lados, indiferente.

— Bom, eu viajei no tempo até meu rosto virar uma uva passa e nunca tive *deja vù* como efeito colateral. As duas coisas não tem relação nenhuma.

— Mas nossa, eu nunca tive um assim tão longo! Está tudo se repetindo.

— Talvez porque você esteve aqui há cinco minutos atrás? Ou por você estar aqui todos os dias às 16:20? — perguntou o Velho com acidez, fazendo seu eu mais novo sentar-se nos degraus, completamente alterado por seu cigarrinho. Em seguida, sentou-se ao seu lado — Não sei, só conjecturando, sabe?

Filipe fez uma careta. Nunca havia ficado assim.

— Tô bem não...

— Mas vai ficar, isso vai passar e tudo voltará a estar bem. Olha só pra mim!

Filipe olhou para o seu Eu Futuro e demorou a entender que havia um sorriso ali. Sentiu a ansiedade e o enjoo se agravarem, e então colocou a cabeça entre as pernas.

— Por que você me trouxe aqui? — perguntou, a voz espremida pela garganta.

— Por razões de *storytelling* — respondeu o outro — Essa escada representa a sua rotina, a mesmice de sua vida, e é aqui que se dará o seu ponto de virada.

— *Estortélio?*

— É quase assim que se pronuncia, continue praticando — o velho repetiu, sacando um envelope de dentro da bolsa-carteiro e desdobrando o seu conteúdo, repleto de empolgação — Veja bem: em toda história de viagem no tempo, o viajante usa essa oportunidade não natural para plantar alguma vantagem em seu passado. Seja para matar um desafeto, paquerar a própria mãe, escrever o roteiro de um filme de sucesso dez anos antes do normal ou investir em uma empresa que vai se tornar um império.

O rosto de Filipe K. Pinto deixou de ser uma retorção esverdeada por um momento para apresentar uma ponta de alegria.

— Eu escolho escrever o roteiro de um filme de sucesso!

— Infelizmente, você ainda nem sabe pronunciar *storytelling* e isso daria mais trabalho que todas as outras opções — o Velho estendeu um panfleto impresso para Filipe, que o pegou, hesitante — Leia!

— Mas eu não preciso entender como fazer um roteiro, eu só preciso plagiar, e...

— Não é simples assim...

— ...eu lembro de tudo de Star Wars direitinho. E se a você voltar mais um pouco no tempo e..?

— Não recomendo. Depois que a Viagem no Tempo for descoberta, a Disney será a primeira empresa da História a conseguir processar pessoas retroativamente. Na minha linha do tempo, o Mickey Mouse voltou no tempo para desacreditar George Lucas e assim fazer com que Star Wars sempre tenha sido dos E.F.U.D.

— E.F.U.D.?

— Estados Forçosamente Unidos da Disney. Eles também compraram vários países.

Filipe fez uma careta. Muita informação para ser absorvida.

— Quando você diz "Mickey Mouse voltou no tempo", não foi literal, certo?

— Me admira essa ser a parte que mais te espanta. Vamos, leia logo isso aí!

Filipe voltou a atenção lentamente para o panfleto empurrado em suas mãos. À primeira vista, era uma propaganda de uma agência de turismo.

Tudo tem seu tempo
A TurisTime tem todos

Seguido de um logo, uma ampulheta sorridente como mascote e um número de telefone de mais de dezoito dígitos e catorze ícones de redes sociais distintas. Filipe ergueu os ombros.

— Hum. E daí?

— E aí que essa é a hora que você abre o folheto e lê o que tem dentro também.

Filipe obedeceu, mesmo com o tom de voz impaciente do Velho. Era um índice de pacote de viagens:

PACOTE BORBOLETA DO TROVÃO

Venha caçar animais que não tem chance NENHUMA
de sobreviver a um meteoro ou ao frio glacial.

PACOTE DE PASSEIOS GLACIAIS
— PANGEIA ICE PARK —

Venha saborear sorbet de NOZES GIGANTES
e escorregar por temperaturas muito abaixo de zero.

*Cinquenta por cento de desconto para curitibanos.

Filipe baixou o panfleto por um instante.

— Isso é sério? É uma agência de viagens no tempo?

— Sim! — o Velho respondeu, contente — Ela será GIGANTESCA daqui alguns anos, e você pode fazer parte disso! É uma oportunidade única, como ter a chance de voltar no tempo e ser amigo do Zuckerberg antes da criação do Facebook!

— Mas Zuckerberg plagiou um dos amigos e ficou bilionário.

— Verdade, mas isso só até um idoso Aaron Greenspan voltar no tempo para os seus tempos de Harvard e ferir o jovem Zuckerberg gravemente com um taco de beisebol. Vamos, continue lendo!

Filipe obedeceu:

PASSEIOS RELIGIOSOS!

PACOTE CAVALO DE TROIA
— ESPECIAL DE PÁSCOA —

Venha passar um Domingo com Jesus Cristo
e seus doze amigos. Ouça os ensinamentos
do Senhor com tradução simultânea do hebraico,
aramaico e grego, para que você não perca nenhuma
palavra de sabedoria e bondade — ou caso você resolva
interpretá-las como convém aos seus preconceitos.

PASSEIOS ADICIONAIS:
VENDILHÕES DO TEMPLO: quebre vidraças
ao lado do maior anarquista que já viveu!
MALHAÇÃO: nada melhor que exercitar-se
malhando o verdadeiro Judas Iscariotes!
Cristo o perdoou, mas você é um ser humano
imperfeito e passível de cometer erros.

PACOTE 300

This is Sparta! Venha defender a honra de Esparta
com mais 299 amigos que são "boa pinta", "presença"
e "responsa". Um passeio apenas para Homens de Verdade,
que querem descobrir o valor da amizade e de estarem
em uma parede de escudos com quem morreria por você.
Comemore a vitória relaxando em termas espartanas
junto aos seus companheiros — mas a recomendados
1,5m de distância. Venha provar o verdadeiro beijo grego
e aprender o significado definitivo de bromance.

Este pacote não é permitido para parceiras, esposas e mulheres em geral.

PACOTE DUPLO:
EUROPA MEDIEVAL/PESTE NEGRA

Você é terraplanista? Antivacina?
Então temos o destino certo para você!

passagens de volta não inclusas, favor não insistir

PACOTE ANO DA MARMOTA

Você é antissocial? Precisa terminar a dissertação?
Nada melhor que se isolar onde ninguém vai estranhar!
Venha para 2020, o Ano que Nunca Termina!

Máscaras N95 inclusas no kit de viagem oferecido pela agência

---

PACOTE DIA DOS NAMORADOS:
JUNTOS, MAS NEM TANTO

Procurando algo marcante e romântico, mas com cada
um no seu quadrado? Venha com seu amor para esta bela
casa do lago, mas fique a 2 anos de distância um do outro.

Excelente detox para casais que acabaram de voltar do Pacote ANO DA MARMOTA

PACOTE FAKE NEWS!

Tour guiada através de grandes momentos da História
da Pós-Verdade: A transmissão de A Guerra dos Mundos
Eleições EUA (2016) e Brasil (2018)

PACOTE PRIMEIROS ERROS

Se um dia você pudesse ver o seu passado inteiro?
E fizesse parar de chover? Venha tomar um sol,
se tornar um sol ou algo que o valha.

* Traga guarda-chuva, pois só chove, chove.

PACOTE ERASED

Teve uma vivência escolar problemática?
Volte no tempo e venha aproveitar uma infância
perfeitamente normal e saudável nesta escola japonesa.

PASSEIOS ADICIONAIS:

BATTLE ROYALE: a vivência de uma escola
japonesa com um quê de perigo a mais.
Curso de defesa pessoal incluso no pacote.

PACOTE VIVA LAS VEGAS

O que acontece em Vegas fica em Vegas? Que nada!
Venha assistir Elvis Presley AO VIVO, arrancar um tufo
de seus cabelos e depois ainda SAIR NO SOCO com o Rei!

— Certo — Filipe disse, baixando o panfleto e massageando os olhos com o indicador e o polegar — confesso que agora eu me perdi. Por que alguém vai querer "sair no soco" com Elvis Presley?

— Ah, esse é o meu novo pacote favorito. Imagine só — o Velho estendeu as mãos à frente, visualizando o cenário — Você assiste um show de Elvis Presley. Se diverte. Toma todas em Vegas. E aí... vai até o quarto da lenda, vestido de camareiro, bate na porta, diz que é comunista. Elvis odiava os comunistas. Então, você começa a brigar com o Rei, que está irremediavelmente bêbado. Imagine só poder socar o queixo de Elvis? E nessa, se o quarto dele acabar destruído no processo, o hotel jamais se importará com isso, porque quebrar quartos é coisa de estrela. Ele culpa os comunistas, o gerente hotel diz "aham" e assim morre o assunto. O álibi perfeito.

— Tá. Você sabe que o Elvis andava armado, né?

O Velho arregalou os olhos, a boca (ainda mais) retorcida.

— Ops. Mandei um turista pra lá hoje mesmo. Isso pode ser um problema — ele puxou o panfleto das mãos amolecidas de Filipe e disse de repente: — Ok, chega de leitura! E aí? O que achou das ideias?

Filipe tentou se levantar, mas parecia ter descido de um carrossel. Voltou a sentar-se no degrau.

— Eu... ok, só me dar o nome da empresa e quando eu devo investir nela. *TurisTime*, certo? Ela já existe?

— Ih, pode ir com calma. Eu vim aqui pedir para que você crie ela, ok?

Filipe pareceu subitamente muito cansado. Era justamente o contrário de como deveria estar se sentindo depois de um de seus cigarrinhos.

— Olha, cara... não me leve a mal, mas você sabe que todo esse papo é muito doido, né?

O Velho o encarou, balançando a cabeça lentamente como quem achasse graça na confusão alheia. Como quem soubesse de todas as loucuras que aquele jovem ainda passaria, e como a sua inocência ainda estava tão condicionada à sua rotina mundana, demasiado mundana.

— Ô, se sei — respondeu o Velho Filipe, sem deixar de sorrir. O Filipe Jovem respirou aliviado ao ver que o outro concordava, e sorriu também. Por um instante, lembrou que aquele na sua frente era a mesma pessoa que ele e ambos sorriam, pensou: duas pessoas que são a mesma sorrindo contam como dois sorrisos ou apenas um?

No topo da escada, a voz impaciente de dona Leandra explodiu:

— Cliente pra você! *Mais um.*

Filipe levantou-se, assustado, retorcendo os dedos em uma incomum ansiedade.

— Preciso ir. *Outro* cliente! Uau… o dia de hoje está atípico…

— Está, não é mesmo?

— Você vai… ficar aqui? Nos veremos de novo?

O Velho Filipe ponderou, e assentiu.

— Você me alcança lá na frente.

O gerente pareceu subitamente triste pela despedida. O Velho levantou-se, abriu os braços, e ambos se prenderam num abraço apertado. Filipe gostou de sentir aquilo. As pessoas de Marasmo não eram muito chegadas a demonstrações de afeto.

Voltando para sua mesa — às 16:58, faltando dois minutos para o fechamento da agência — lá estava o traficante crossfiteiro, sentado na poltrona do cliente sob o olhar penetrante de Leandra e de Marcos.

— Hã, olá Filipe — disse o rapaz de classe média, em uma péssima atuação – Eu hoje esqueci de, hum… fazer uma pergunta importante. É uma dúvida, sabe?

— Certo — disse Filipe, franzindo a testa — E qual seria?

— Eu acho — o traficante olhou para os lados, viu que a faxineira e o segurança estavam um tanto quanto longe, e se inclinou um pouco mais para perto de Filipe, quase em um sussurro — que te entreguei o *negócio* errado hoje.

Filipe abriu a boca, mas nenhum som saiu. Algumas coisas começaram a fazer sentido.

— Entendo.

— Pois é. E essa aí é mais cara, sabe?

Filipe pegou o pacotinho no bolso. Fechou-o dentro de sua mão e depois puxou a mão do traficante, colocando o conteúdo dentro dela.

— Pode ficar com o que sobrou.

— Eu te trago a certa amanhã e você paga a diferen--

— Eu estou encerrando sua conta aqui, ok?

O rapaz riu, desconcertado.

— Você tá falando sério?

— *Uhum*. Estamos acertados. Obrigado por escolher o Banco Federal por todo esse tempo! — disse Filipe metodicamente, e então voltou a olhar para o computador, sem um aperto de mãos de despedida. O traficante demorou um instante até perceber que nada mais aconteceria ali, e foi embora ligeiramente atordoado. Como se fosse ele quem tivesse fumado o cigarro errado.

Com a agência imediatamente fechada logo às costas do último cliente, Filipe desceu até as escadas de emergência, e não encontrou ninguém. A tontura estava passando. Voltou para sua mesa e encontrou Leandra pronta para ir embora.

— Você viu aquele senhorzinho feio ir embora?

Ela ergueu os ombros.

— Eu tava conversando com o Marcos. Deve ter ido.

Filipe assentiu, incomodado. Quanto daquela conversa havia sido real, quanto havia sido *bad trip*? Avisou Leandra que demoraria mais um tanto na agência e então puxou a calculadora para perto de si. Tirou uma média de quanto economizaria por ano deixando de comprar erva, e percebeu que era bastante. O suficiente para fazer algo novo. Uma faculdade EAD, por exemplo, para quebrar a sua rotina. Hotelaria & Turismo, quem sabe.

Na semana seguinte, Filipe sentiu um impulso incontrolável e comprou uma bolsa-carteiro.

Mergulho no Azul Cintilante

ANA RÜSCHE

Uma miríade de cheiros e um escândalo de gritos envolveram o rapaz. Tonto, foi tragado pelo alegre formigueiro de tantas esquinas e mostruários. O mercado com 10 quilômetros de extensão, tecido costurado em lonas, edifícios climatizados e subsolos, ofereciam trajes da última moda, tapetes antiquíssimos, robôs, temperos e sonhos.

O garoto surgiu ali num "pop" no ar, sem se lembrar de quem era, no Átrio das Partidas. Perdido, rondou aqueles túneis por horas. A população do mercado logo o categorizou como algum tipo de indigente: clientes davam-lhe ordens em gestos, "carregue isto", "leve aquilo". Sem nem entender o motivo das ordens, o garoto obedecia por puro temor. Em paga, após um dia extenuante, ganhou um prato quente e uma esteira para se deitar. Fora do mercado, os picos nevados das montanhas emolduravam os céus alaranjados da Nova Pérsia.

Passaram-se dias. O rapaz ganhou um apelido, "Moosh", roupas novas e um aparelho de tradução. A meninada do mercado pedia para ver as impressionantes tatuagens no crânio, metade raspado. Fez uma única amizade: com Farah, a senhora elegante e cheia de pulseiras, que vendia porções de arroz com açafrão. Em troca de pequenos favores, guardava para o jovem uma refeição quente e uma esteira para repousar no final do dia.

Às noites, antes de desmaiar de cansaço, o garoto procurava lembrar-se de algo. Nada. Era como se seu primeiro dia de vida fosse aquele em que surgiu no mercado.

Certo dia, depois de limpar a barraca de Farah e receber um prato cheiroso, o rapaz resolveu conversar, usando o novo aparelho de tradução:

— Farah, não sei quem sou.

Entretanto, sofria com sonhos. Ora tinha um pé engolido pela Devoradora, ora fundia-se na água. Quando acordava, o desespero. Quem era sua família? De qual parte dos 21 mundos vinha? Teria cometido algum crime? Suava em vigília.

Quando as flores das cerejeiras estouraram a primavera às margens do mercado, Farah declarou: era chegada a hora. Ambos sabiam, a verdade poderia separar a dupla. Mas a verdade vale muito.

Desceram ao subsolo dos subsolos.

Luminosos anunciavam a Devoradora, "a sorte ou a morte". O anúncio esclarecia em letras miúdas que a Devoradora nunca errava. Mas eventualmente poderia atacar. Farah parecia muito à vontade naquelas profundidades, o manto bordado sacudia-se, os passos nos sapatos ornamentados voavam.

Ao chegarem, Farah estendeu o braço tilintando de pulseiras preciosas. Depositou uma delas na urna. O rapaz ficou pasmo, mas a velha cochichou, "não se preocupe, depois vão me devolver". Ganharam, então, máscaras com óculos de luzes infravermelhas.

Farah escolheu lentes cinzas tradicionais. O garoto, vermelhas. Assim, enxergando somente vermelhos claros e escuros, encontrou um salão azulejado. A sinalização por temperatura indicava a rota. Postaram-se num círculo marcado em quente. Adiante, uma piscina vermelha escura ocupava todo o salão. Certamente a Devoradora precisava ficar imersa em líquido para sobreviver.

"Que difícil se acostumar a viver num outro planeta", o jovem refletiu.

Ouviram as águas agitarem-se. De dentro da piscina, ergueu-se uma monstruosidade gelada, cuja silhueta marcada contrastava com as bordas aquecidas do líquido.

— Quem perturba?

O rapaz pigarreou no tradutor automático:

— Eu não sei quem eu sou. Perdi a memória. Ou me roubaram. Acordei no Átrio das Partidas no Mercado faz uns meses. Tudo que eu lembro só existe depois disso.

A Devoradora agitou-se na substância espessa.

— Dê um passo adiante, rapaz.

O garoto procurou pisar o mais firme que conseguia.

A criatura ergueu-se do líquido e o jovem sentiu uma substância pegajosa pelo corpo. O gelo envolvia-o e começou a tilintar de frio. A Devoradora passou a fazer uma série de perguntas. Você defeca em qual horário? Você se masturba? Quanta comida come? A cada pergunta, o rapaz sentia as orelhas pegarem fogo e o coração entregelar.

— Abra a boca agora, ordenou a voz. Não morda.

A criatura esgueirava-se por seus dentes, um a um, deixando um gosto peculiar na boca do rapaz.

Depois do exame atento, a Devoradora recolheu-se toda e sentenciou:

— Desculpe, Farah. Fiz o que pude. Não posso responder sem colocar a vida do menino em risco. Só sei que ele vem do passado. Pela dentição, com certeza é de antes do Contato e aqui da Terra mesmo. Mais que isso, não consigo avaliar.

Aquele gosto que fazia a boca tremer, o gosto da Devoradora, acendeu algo no peito do jovem:

— Devoradora, eu arrisco minha vida pela Verdade.

E deu um passo em direção à piscina.

Na sala, tudo se alterou. Barras subiram e separaram Farah. A idosa agarrou as grades aos gritos.

— Você precisa entrar na piscina. Tira a roupa. Confere se a máscara está bem acoplada — instruiu a Devoradora.

O rapaz ficou nu.

A criatura ergueu-se novamente, agora no meio do líquido. Uma cavidade enorme abriu-se. De dentro da boca dentada, irradiava uma luz branca: havia uma fornalha dentro daquele corpo.

O rapaz fez então seu salto de fé.

Pisou no líquido espesso e afundou nu como um bólido. A fornalha lambeu seus braços, suas pernas, como quem lambe a crosta de uma iguaria. A Devoradora cumpriu, então, seu papel: abocanhou o rapaz numa só vez. O rapaz foi sugado numa sensação de queda profunda. Um fosso escuro, pelando de quente, pegajoso, um ronco ritmado, um coração, dois corações, sete corações, uma pulsação ensurdecedora corroía o garoto — já não sentia os próprios pés, pareciam asas. O couro cabeludo foi repuxado por ventosas, por geleias, por coisas inomináveis. O ar faltou, mas, na garganta, correu um líquido, um suco grosso. Foi acometido por espasmos e silenciou.

Então, a dimensão das coisas modificou-se. Do ventre da Devoradora, observou o céu, mas não era o céu, eram as estrelas e o amor do mundo. Os pés pareciam asas e bateu-os naquele líquido suave.

Então, algo naquele corpo despertou.

O garoto foi cuspido para fora do corpo da Devoradora, direto para os azulejos gelados. Gargalhou e berrou:

— Farah, sou eu! Sou eu!

Farah, agora livre das barras, cobriu o rapaz molhado com um abraço choroso. A Devoradora declarou:

— Agora você se lembrou de algo de quem é, rapaz. Você vem de Trindade, aproximadamente de 2140 ou 2150. Pré-Contato. Onde hoje está uma bela colônia do Azul Cintilante.

Farah e o rapaz abraçavam-se, trêmulos. Mudando de tom, como se fosse divertido, a Devoradora acrescentou:

— Quando for retornar, mande minhas lembranças às minhas colegas da tua região. Foram as primeiras a serem instaladas. Devem ser um tanto, hum, selvagens. Duvido que estejam tão desnutridas e domadas quanto eu. Vão saber tudo o que você perguntar. E provavelmente vão te jantar no processo.

Enquanto a alienígena dava uma espécie de riso e a piscina escurecia, a dupla saiu do recinto agarrada num abraço. Devolveram as máscaras com óculos. Farah deixou sua pulseira para trás. Algumas coisas não há preço que pague.

A felicidade do garoto durou pouco. No Átrio das Partidas, logo descobriu que era impossível retornar ao passado. Viagens no tempo funcionam somente para o futuro. O atendente mau humorado explicou, complicando:

— Ninguém pode voltar de onde está indo.

Sem outra solução, o jovem decidiu então comprar uma passagem para a terra natal, Trindade. O preço era razoável. O medo, não. Escolheu esperar uns meses.

O rapaz trabalhou duro. Dobrou turnos. Não sorria. Em qualquer tempo livre, estudava o curioso fenômeno do Azul Cintilante.

Aquela região havia sido soterrada pelo morro que desbarrancou e pelo oceano que subiu muito antes da Era do Contato. As comunidades que sobreviviam hoje dependiam de um modo de vida anfíbio, com plantações de milho e mandioca na terra firme e trocas com a vida alienígena no mar. Havia pouca informação sobre o nível de toxicidade da substância alien, ingerida pelos locais. Relatos descreviam o oceano como uma sopa de gelatina, com um azul pungente e brilhante, mesmo à noite.

Para chegar a Trindade, o Átrio mais próximo situava-se no Rio de Janeiro. O rapaz empacotou um monte de tralhas. "Quanto maior a mala, maior o medo de viajar", divertia-se Farah.

Quando chegou o dia, o garoto quase desistiu. Mas Farah insistiu, encorajando-o, "se der tudo errado, você volta, ué".

A viagem durou segundos. Mas o rapaz precisou de horas para se desvencilhar dos protocolos de entrada num Átrio lotado mesmo de madrugada.

Ao sair ao ar livre, foi envolto por um vento úmido. Um toque familiar. Mesmo que não se recordasse de nada, a pele reconhecia aquele lugar. Depois, se desbundou com a imagem clássica: a estátua larga de braços abertos no centro de uma ilha. Mesmo com o dia nascendo encoberto, o garoto arrepiou-se com a vista. Aquele Rio de Janeiro inundado, agora era cheio de ilhas, unidas por um sistema complexo de botes, hovercrafts e balsas, que se desviavam dos antigos edifícios, agora submersos, como piratas rodeando arrecifes.

Seguindo instruções, dirigiu-se ao imenso cais, ao lado do Átrio, com toda a sorte de veículos náuticos. Ao pedir o destino "Trindade", a maioria dos navegantes meneava a cabeça. Terminou convencendo uma jovem canoeira, que aceitou a corrida mediante pagamento adiantado. Sem saber se aquilo era um golpe, o rapaz concordou. Mas a canoeira era uma garota de palavra. Aliás, de muitas palavras e, durante o começo da viagem, foi inundando o recém-chegado com mil perguntas. O rapaz esquivava-se como podia.

Mas a curiosidade da moça foi útil: ele descobriu que podia manter o aparelho de tradução desligado. Não entendia tudo, mas era melhor do que o zumbido automático nos tímpanos.

A cidade-arquipélago ficou logo para trás. Depois, a embarcação começou a deslizar por um outro tipo de terreno aquático. O sol levantava-se, afastando as nuvens de chuva. O assunto começou a morrer. O garoto reparou que a canoa agora não se valia mais dos remos automáticos e tinha a parte debaixo inflada, avançando com outro tipo de propulsão.

A garota fez um sinal de cruz na testa.

A água, ou algo semelhante a isso, mostrava-se cada vez mais densa. Então, o garoto avistou algo que fez todos os pelos do corpo se arrepiarem: o inconfundível Azul Cintilante.

A face da garota resplandecia, iluminada pelo líquido. O senso de maravilhamento apoderou-se do coração do garoto. Os morros, lambidos pela substância azulada, eram imagens das mais impressionantes. Aquilo tudo era uma matéria alienígena, mas parecia perfeitamente nativa daquela costa. "Como eu", concluiu o rapaz, estremecendo.

Ao chegarem, o forasteiro deu um saquinho de pistaches para a canoeira. Nem mesmo esse presente desamarrou a face preocupada da garota com pressa, "tenho que voltar antes que a tarde caia".

Pisando num cais arcaico, de madeira, o garoto leu o luminoso, "Serra da Bocaina". Da matéria cintilante que lambia a costa, surgiam rochedos e uma mata densa, com uma picada de asfalto, ameaçada pela vegetação robusta. O rapaz admirou a extensa baía, onde antes estiveram a Vila de Trindade original e a antiga cidade de Paraty. Tudo agora jazia no fundo do oceano. Décadas depois dos mares subirem e cidades desaparecerem, as águas foram povoadas por aquela matéria azul cintilante que veio dos céus.

O rapaz sabia que o Contato ali havia sido especial. Em vários lugares do globo, tinha sido igual, um acúmulo desmedido de matéria inteligente. O dito era, as pessoas que viviam tão próximas a alienígenas terminavam se alterando. Podia ser tudo crendice também. De qualquer forma, aquela Serra da Bocaina era o que lhe restava de terra natal, inundada por águas e ameaçada por aliens, cujas intenções eram difíceis de decifrar.

Escolheu subir a trilha de asfalto. Em alguns trechos, a via era tão estreita, que o garoto precisou afastar troncos, cortando-se em trepadeiras espinhosas. O dia exalava um bafo quente. Depois de algumas horas suadas, chegou ao fim da picada. Sem ter como avançar na mata fechada, decidiu almoçar a marmita de arroz frio de Farah.

Nisso, deu-se conta que duas pessoas o fitavam. Possuíam tatuagens gigantescas e roupas justas gastas. O rapaz tremeu com a colher na mão, procurando sorrir:

— Olá, eu, oi, vim para aqui, pois preciso de ajuda.

— E o que te traz aqui? inquiriu uma das pessoas com desdém.

— Olhe, vou tentar ser bem sincero. Eu... — o garoto mordeu a colher, mas o desespero esprime as confissões mais estranhas, — eu não sei quem sou, perdi a memória. Mas os testes indicam que vim dessa região. Vim, hum, procurar minhas origens.

O calor abateu o garoto. As duas silhuetas entreolharam-se. A primeira convidou:

— Você não é a primeira pessoa que aparece assim. Vem, vamos te levar pra alguém que pode te ajudar. O Santoro vai saber.

O rapaz deu um pulo. Envoltas em bolhas de silicone inteligente, a dupla entrou na mata. Decidido a seguir as duas até o inferno, o garoto vestiu um traje impermeável e mergulhou na confusão de folhas largas. Submergiram num descampado, com o luminoso "Nova Trindade" e veículos voadores estacionados. As edificações eram poucas, destacavam-se um barracão de hidroponia e um edifício central, para onde rumou a dupla, desviando do latido de cães.

O galpão apresentava lugares para se sentar, telas berrando notícias e máquinas de utilidades domésticas. A dupla pediu algo para um bando de crianças. O rapaz reconheceu modelos ultrapassados, vendidos a preços baixos na Nova Pérsia. Logo, apareceu uma pessoa bem masculina, torso nu e peitoral largo. Era Santoro.

— Você, como te chamam?

— Bom, não sei meu nome. Na Nova Pérsia, me chamam de Moosh. Eu... perdi minha memória.

Santoro adiantou-se:

— Mas você sabe que vem daqui, certo?

— Isso. Foi o que os testes indicaram. Eu venho do passado, há uns 150 anos. Parece que de 2140 ou 2150, ainda antes do Contato.

O homem bateu palmas, embora ninguém desse muita bola:

— Gente, chama a Hermê e a Dulce. Esse cara é amigo delas! — e continuou — Mas, garoto, você não me parece alguém que nunca conheceu o Acontecimento. Reconheço em você o brilho.

"O que significaria o *brilho*?", desesperou-se o recém-chegado. Lembrou-se da Devoradora, mas não pronunciou nada, pois foi interrompido pela chegada de Hermenegilda e Dulce esbaforidas. O homem declarou:

— Hermê, Dulce, esse cara chegou aqui também sem se lembrar do passado. Ele também viajou no tempo. Igualzinho vocês. Não dá pra ser coincidência.

As duas gritaram e abraçaram o rapaz. Depois, olharam-se. Não se reconheciam. Eram rostos comuns, sem nada de especial.

— Como você se chama? — perguntou Dulce, careca com tatuagens no lugar de cabelos. Desconfiado, o rapaz achou até bom estar com as mechas cobrindo as próprias tatuagens no crânio.

— Me chamam de Moosh. A primeira coisa que me lembro é o meio do mercado da Nova Pérsia.

— Que coisa. Eu também não me lembro de nada. Cheguei direto nos diques de contenção de Maputo. E a Hermenegilda foi parar aqui perto, em Itaipava. Moramos aqui na vila há quatro anos. Já fizemos todos os testes. Nasci por volta de 2105. A gente só entrou em contato com o Acontecimento aqui.

O homem interrompeu a careca tatuada:

— Mas ele teve contato com o Acontecimento, Dulce. Sinto o brilho muito forte nele.

O garoto, quase envergonhado, admitiu:

— Tive contato com uma Devoradora na Nova Pérsia.

— Eita, ela gostou de você, gargalhou o homem. Deixou uma marca profunda aí. Amanhã vamos até o Azul e descobrimos isso.

Hermenegilda, que até então não tinha dito nada, aconselhou:

— Quem sabe não conseguem que você lembre de teu nome. Eu lembrei do meu.

Mostraram ao garoto onde dormir. Apesar do cansaço, sonhou muito, a Devoradora lambia sua bunda, suas pernas. Despertou molhado e com calor.

Na manhã, crianças vieram o chamar, acompanhadas de cachorros. O garoto colocou sua melhor roupa e retirou as mechas, deixando a mostra lateral raspada. Decidiu mostrar as próprias tatuagens no crânio à Dulce.

Na vila, pessoas sumiam nos veículos voadores ou caminhavam ao barracão de hidroponia. Santoro ofereceu um café e uma broa, berrando:

— Eh, bom dia, rapaz! Hoje é o dia de você ser jantado pelo Azul. Mas você ainda pode decidir, hein? Só precisa mergulhar se quiser morar aqui.

— E por quê? — o rapaz mastigou a broa.

— Ah, se a pessoa for ser tragada pelo Acontecimento, que seja de uma vez só. A gente está perto demais do Azul. Não dá para arriscar. Tem gente que enlouquece. Tudo o que você toca aqui tem matéria do brilho. Essa broa de milho. Esse café. As patas do cachorro. É crueldade deixar a pessoa definhar maluca. E cadê aquelas tuas irmãs?

Não fazia ideia de onde estavam as duas outras mulheres e se irritou com o tom de Santoro. Ainda se lembrou do "as pessoas que viviam tão próximas a alienígenas terminavam se alterando".

Sem demora, as duas chegaram. Dulce deu um grito ao ver a metade da cabeça raspada do garoto, desanuviando o mau humor matinal com um abraço. Mesmo que não fossem irmãos de verdade, era bom.

Os quatro embarcaram num tóptero corroído de ferrugem, estacionado na lama. Levantando latidos dos cachorros, alçaram um voo pesado. Em poucos minutos, pousaram nos rochedos do litoral.

A baía azul cintilante estendia-se a perder de vista.

Com reverência, Santoro aproximou-se do líquido. Retirou toda a roupa e ajoelhou-se. Colocou a mão direita n'água, retirando um brilho viscoso nos dedos. Lambeu e sussurrou palavras, como num transe.

Ao ver os olhos de Santoro, o garoto deu um pulo!

As órbitas estavam completamente transparentes e prateadas. Santoro gargalhou com escárnio, mostrando uma língua branca. Os músculos dos braços pareciam estalar de contentamento.

Hermenegilda apertou o braço do rapaz, sussurrando em pânico:

— Se você for mergulhar, é agora, Moosh. Senão, ele pode te atacar. Já não é mais Santoro ali sozinho.

O rapaz não se fez de rogado. Sem refletir, tirou toda a roupa, sentiu o vento.

Deu o salto.

Ao cair no líquido, arrependeu-se de não estar com a máscara com óculos do tanque na Nova Pérsia. Partículas entravam pelas narinas e boca. O mergulho rompia fundo, como se algo mais forte do que a gravidade o impelisse para baixo. Escutava o próprio coração nos ouvidos.

Aí começou. Igual com a Devoradora, algo lambeu suas pernas, que logo respondiam em batidas rítmicas. Aquelas partículas todas pareciam ganhar substância rígida, acariciando plantas dos pés, o couro cabeludo, músculos da face, lábios. Pulsando, passavam-se por meio das coxas, subindo, convidando o rapaz a uma ereção contra aquela massa amorfa, densa, brilhante, penetrando cada vez mais nas veias, artérias, gerando um ar estranho nos pulmões, uma tontura. O rapaz escoiceou o Acontecimento, procurou agarrar o que não tinha corpo até sentir a penetração vir forte por trás. Não podia gritar, pois a boca estava preenchida de luz e trevas e o coração vibrava, nunca conteve tamanha vida pulsando consigo. Tamanha vida. O garoto ondulou no que não possui substância e, subitamente, relaxou.

Horas passaram. Santoro lambeu mais do líquido cintilante, alternando a vigília e o sonho acordado.

Finalmente, o corpo do rapaz foi trazido à superfície por aquele líquido azulado. Dulce e Hermenegilda retiraram-no d'água. Respirava.

Vendo que o rapaz não corria mais perigo, a mais jovem decidiu provar do Azul. Com as mãos em concha, Hermenegilda sorveu um bocado da substância cintilante e relaxou nas pedras quentes com as órbitas tomadas de brilho. Já Dulce velava o rapaz atenta, pois havia muita coisa em jogo ali.

— Jonas. Meu nome é Jonas. — balbuciou o garoto — eu me lembrei. Eu me lembrei de tudo, ah, se me lembrei! — abriu os braços, — Dulce, você é minha tia Dulce. Já a Hermenegilda, nunca conheci nenhuma Hermenegilda. Mas acho que sei o que aconteceu conosco. A máquina do tempo, Dulce! A máquina do tempo salvou a gente.

Santoro, como se recuperasse algo da consciência, aprochegou-se. Pelado ainda, distribuiu café e pamonhas e, mastigando, ordenou com uma voz rouca:

— Conta tudo.

Jonas não titubeou:

— O morro despencou. O morro veio abaixo. Foi o ano em que choveu sem parar. Todos os morros desbarrancam. Veio tudo abaixo. As raízes não detinham mais o barro, as árvores deslizaram, pedras imensas caíram, os edifícios, as casas. A minha mãe, tua irmã mais velha, Dulce, só conseguiu empurrar a gente pro Átrio da Vila, da antiga Vila, que não existe mais. Um monte de gente estava ali espremida, havia muita burocracia para ir a outros lugares, o Átrio ia desbarrancar. Ninguém queria mais aceitar refugiado, nenhuma região aceitava a gente.

O rapaz fez uma pausa. Fechou os olhos. Lágrimas escorriam nas faces de Dulce, como se recobrasse uma emoção própria ao escutar a memória do outro. Jonas prosseguiu:

— Nenhum lugar queria aceitar refugiados mais. O Átrio ia desbarrancar. Não tinha mais tempo, as conexões tavam falhando. Daí alguém gritou, "pro futuro, vamo pro futuro, vamo pro futuro" e se jogou na primeira era que deu. Eu fui contigo. Sem preparo, nem nada. Isso deve ter afetado a memórja, Dulce. Deve ter gente que morreu. Não pode viajar assim tão rápido. Não sei o que aconteceu com a minha mãe, me desculpa.

O garoto começou a soluçar, Dulce o abraçou firme. Choraram muito. Por uma mulher falecida há muitas décadas. Por uma cidade que feneceu no barro. Por não ser possível voltar ao passado, por não ser possível alterar o resultado das coisas.

Santoro comentou sério:

— Amanhã você conta tudo pra tua amiga na Pérsia. Ela merece saber. Agora, ela é tua família também.

O rapaz assentiu choroso. Dulce ainda o abraçava com muita força:

— E agora? O que a gente faz agora?

Hermenegilda, com voz de sonho e língua prateada, sentenciou:

— Entristeçam-se. Entristeçam-se de verdade. Quando chegar a hora, o coração vai pesar menos. Então, vocês precisam contar as histórias do teu tempo, vocês devem contar as histórias do teu tempo para um povo que nunca precisou antes ouvir essas histórias. É nos momentos de destruição que as histórias revelam o mundo e podem curar o mesmo mundo. Foi assim em outros tempos também.

Então, o silêncio imperou diante do Azul. Os céus tingiam-se de laranja e lilás, mas o mar firmava ainda imenso, cintilante. Mesmo quando a noite chegou, a água iluminava os rochedos. Então, o rapaz já não tinha lágrimas nos olhos. Nutrido pelo Acontecimento, cansado, mas com a vida a pulsar firme dentro de si, chamou:

— É hora de ir para casa.

O Manuscrito Gaélico

BRAULIO TAVARES

Artigo publicado no Science Schools Journal,
July-September, 2029,
Londres, sem assinatura.

Documentos recentemente descobertos parecem lançar nova luz sobre o mistério de Eilean Mor, que há mais de um século tem desconcertado as autoridades e os investigadores de uma região remota da Escócia. Dizemos "nova luz" no sentido de que surgiram fatos irrefutáveis e documentados; mas essa luz ainda parece estar longe de esclarecer em definitivo um dos mistérios marítimos mais persistentes de nossa época.

Nas últimas semanas do ano de 1900, os três homens que cuidavam do farol de Eilean Mor – um rochedo desabitado nas Flannan Islands, na costa das Hébridas – desapareceram sem deixar traços e sem nenhum vestígio de violência, a não ser alguns danos que podem ser atribuídos às tempestades. O caso foi muito comentado na imprensa, e até mesmo um "cordel" local foi escrito a respeito ("Flannan Isle"). Pequenos detalhes inexplicáveis pareciam invalidar cada uma das hipóteses propostas para o desaparecimento dos três: acidentes de vários tipos, fuga combinada, homicídio seguido de suicídio, etc.

O que nos leva à morte, no princípio deste século, do capitão aposentado Malcolm Hillyer (1920-2005), em Edinburgh, levou a leilão em 2018, em Glasgow, boa parte do material acumulado por ele em anos de navegações pelo mundo inteiro, com antiguidades muito valorizadas (relógios, lunetas, porcelanas exóticas, etc.). Colecionadores vieram de várias partes da Europa e da América para arrematar as peças oferecidas em leilão.

Entre os lotes encontravam-se alguns relativos a mapas, diários de bordo e outros documentos marítimos. Um dos menos valorizados era um panfleto em gaélico escocês, que parecia conter instruções para a construção de faróis. Foi arrematado por uma diretora de TV da "BBC Cymru Wales", em Cardiff. Esta declarou depois que comprara o documento para presentear o diretor de arte de alguns filmes que dirigira, mas que não havia dado muita atenção ao texto em si.

A folha de rosto do panfleto de 50 páginas não traz indicação de autor, local ou data, mas apenas os termos MANUAL PARA CONSTRUÇÃO. O texto propriamente dito consta de algumas partes independentes. A primeira, com oito páginas, inclui diagramas rabiscados à mão e medidas para a construção de um farol. A Parte II faz um relato de acontecimentos ocorridos em alguns faróis, e é nesta parte que há um relato de uma página a respeito de Eilean Mor. A Parte III é a mais longa, e consiste em instruções genéricas para a construção de faróis e outras estruturas. A quarta e a quinta partes têm caráter fragmentado e parecem ser uma transcrição de fragmentos de outros textos.

A apresentação gráfica do panfleto, além de algumas referências no próprio texto, dão como certo que tenha sido publicado pelo menos na década de 1970, não antes disso. O misterioso livreto tem sido chamado de "O Manuscrito Gaélico", devido à aparência do texto em caracteres gaélicos, embora tecnicamente não se trate de um manuscrito, mas de um texto impresso nos tempos modernos.

Na parte relativa a Eilean Mor, o texto corrido deixa evidente que o panfleto foi traduzido de outra língua para o gaélico. A presença de várias construções desajeitadas sugere que um outro documento foi traduzido um pouco às pressas, talvez por uma pessoa sem muita experiência.

Transcrevemos abaixo trechos da matéria do *The Guardian* (8-2-2020) em que Colin Stevenson divulgou o polêmico conteúdo do achado.

Os fatos relativos ao desaparecimento dos três homens em Eilean Mor já são conhecidos dos aficionados de mistérios não resolvidos, e já foram abordados em livros, reportagens e até chegaram ao cinema. O que ninguém esperava era que um documento tão obscuro trouxesse à luz fatos cuja autenticidade tem sido possível comprovar.

Ao que parece, ocorrências semelhantes se deram, com certa regularidade, numa faixa de espaço mais ou menos limitada. Este é o primeiro fato concreto que o livreto afirma, e que nossas pesquisas comprovaram.

Ilha de Sark.

Esta ilha na costa da Normandia se destaca pela presença de um antigo moinho em sua parte mais alta. O moinho foi construído em 1571. O que constava das crônicas histórias (mas só agora, depois da descoberta do "Manuscrito Gaélico", foi revelado ao grande público) foi que naquele local existia até então um farol, que foi incendiado numa revolta da população local, depois da morte brutal da família que cuidava dele. O velho faroleiro, sua esposa e dois filhos pequenos foram dormir normalmente certa noite de verão, e no dia seguinte apareceram com os corpos despedaçados, sem que ninguém tivesse visto a presença de quem quer que fosse no local. As mortes foram atribuídas a forças sobrenaturais e a população queimou o farol. Dez anos depois, as autoridades demoliram o que restou dele, e construíram ali um moinho. O local é o ponto mais alto da ilha, e também das Ilhas Guernsey, de que Sark faz parte. São águas agitadas, de difícil navegação, e é curioso que nenhum farol tenha sido edificado para substituir o primeiro.

Sagres.

Esta ponta de terra, de onde famosamente partiram navegadores portugueses no auge das viagens de descobrimentos marítimos, tem um pequeno farol mantido hoje como atração turística. De acordo com o Manuscrito Gaélico, havia dois homens encarregados do farol que desapareceram misteriosamente logo após sua inauguração em 1894. Não houve inquérito oficial, mas a imprensa portuguesa, meses depois, ainda se queixava da insegurança do local, de onde os dois faroleiros sumiram para sempre, sem deixar indícios.

Cabo da Roca.

Outro farol português, situado nas imediações de cidades importantes como Sintra e Cascais. Outro desaparecimento, desta vez de três faroleiros, numa noite em que moradores da região disseram ter presenciado raios (sem chuva) e tremores de terra. Alguns danos materiais, na estrutura (que precisou de reformas), mas, mais uma vez, nenhum sinal dos três profissionais, que nunca mais foram vistos. Isto ocorreu em maio de 1841.

Finisterra.

Este farol no norte da Espanha (região da Galícia) também teve seu episódio de desaparecimento misterioso, que passou despercebido por ter ocorrido simultaneamente com um grave naufrágio na região, em setembro de 1870. Dois faroleiros desapareceram, e matérias nos jornais da época especulam numa possível relação entre os fatos, mas sem apontá-la com clareza. Não se teve mais nenhuma pista dos desaparecidos.

A matéria do *Guardian* se prolonga em citações e transcrições de documentos que, ao que tudo indica, confirmam os fatos relatados acima. Todos os fatos, é importante notar, são citados em comparação ao caso de Eilean Mor, que parece ter uma importância especial para o autor anônimo do manuscrito. Com cautela talvez excessiva, Stevenson sugere que esse autor pode ser o próprio Capitão Hillyer, que se revelou um parente em segundo grau de James Ducat, um dos três desaparecidos naquele episódio. Além disso, era sabido que o Capitão falava e escrevia fluentemente o gaélico escocês, idioma ainda vivo na região.

A terceira parte do manuscrito é deixada de lado (um tanto inexplicavelmente) no artigo, que se limita a citar dois breves trechos de artigos publicados na revista científica *Nature*. Trata-se (explica ele) de instruções para a construção de estruturas semelhantes a um farol – um edifício que abriga um instrumento de grandes dimensões – mas utiliza medidas e vocabulário de difícil interpretação, ainda mais expressos num idioma muito peculiar. Há referências a materiais de nomes incompreensíveis (talvez o texto tenha sido editado em gaélico por medida de precaução, para que o idioma, pouco conhecido fora daquela região, servisse como filtro de codificação contra estranhos).

É nas duas últimas partes que Stevenson, valendo-se (diz ele) de uma cuidadosa tradução do gaélico por especialistas, nos apresenta os trechos mais polêmicos e desconcertantes do *Manuscriuto Gaélico*. São fragmentos numerados ("como se fosse uma lista de lembretes curtos", diz ele), que se iniciam com este:

1

A expansão das bolhas do tempo (»time-bubbles ») só deve ocorrer, obrigatoriamente, em locais que incluam as seguintes características (todas, de preferência, mas em casos excepcionais pode-se abrir mão de uma ou de outra):

1) lugares desertos, onde as vibrações físicas sejam percebidas por poucas pessoas:

2) uma estrutura solidamente fixada no solo, de preferência solo rochoso;

3) proximidade do oceano, ou no mínimo de um rio ou lago;

4) uma região onde não sejam raras as tempestades, raios, trovões, inclemências da Natureza de modo geral; 5) possibilidade de acesso relativamente rápido a centros urbanos; estruturas construídas no continente devem ter precedência sobre as construídas em ilhas.

Outros trechos numerados afirmam:

(...) 4

Os colaboradores locais devem ser recrutados cuidadosamente, de preferência pessoas de mentalidade técnica e prática, capazes de serem seduzidos pelo funcionamento de um processo técnico cuja finalidade e natureza não compreendem por inteiro. Homens, sempre, de preferência. Unidos pelo princípio do controle de processos tecnológicos que para eles fazem sentido, e pela camaradagem em situações de risco.

(...) 11

A proximidade do mar é necessária por fatores de ordem social (isolamento), de ordem química (condutividade do ar), física (capacidade das grandes massas aquáticas de responderem com mais flexibilidades às fortes pulsações do espaço físico; experiências com a areia do deserto costumam ser menos confiáveis).

(...) 20

Seguir com atenção as coordenadas recebidas. Em casos de instabilidade, há o risco do não retorno dos locais. As tentativas de ir mais longe rumo ao Passado por enquanto estão descartadas depois de acidentes como o de Sark (exemplo mais característico).

Esses são trechos escolhidos pelo jornalista, o que nos aguça a curiosidade para saber que outros comentários ou instruções poderá haver nos itens omitidos.

Em todo caso, a seleção feita por Stevenson tem um propósito bastante claro, que ele expõe a seguir, com certa desconfiança em trajes de bom humor (não custa lembrar que Colin Stevenson é um habitual resenhador de obras de ficção científica para jornal):

Com recomendações desse tipo, podemos ficar à vontade para postular que o Manual de Construção, por mais prosaico que seja seu título, cumpre uma função absolutamente extraordinária: ensina como construir uma máquina do tempo. Leitores da literatura popular de aventuras têm familiaridade com o conceito de " máquinas do tempo " conforme concebidas por H. G. Wells em fins do século 19 (não custa lembrar - na mesma época dos fatos macabros de Eilean Mor!) e popularizados por séries de T V como Dr. Who e por filmes como De Volta Para o Futuro.

O que o " Manuscrito Gaélico " nos propõe, contudo, é um tipo diferente de máquina. Wells (um entusiasta do ciclismo, atividade recente em sua época) afirmou que via sua máquina temporal como uma bicicleta capaz de cruzar como um raio a quarta dimensão; os aventureiros de Back in the Future usam um automóvel. Não serão essas imagens ingênuas um reflexo de nossa era personalista, individualista, capaz de conceber máquinas privadas, meros veículos capazes de levar seu dono para onde ele queira? Uma verdadeira máquina do tempo não deveria ser (pela quantidade de energia requerida; pela necessidade de condições cuidadosamente sob controle para o funcionamento de processos delicados) algo como um Casa do Tempo, um Edifício do Tempo, em vez de uma poltrona sobre rodas como a de Wells?

A facilidade com que o jornalista se transfere da investigação de fatos históricos (embora misteriosos) para o terreno das aventuras populares mostra de maneira eloquente o perfil que o conceito de viagem temporal adquiriu em nossa população.

Ele consegue nos transmitir, contudo, essa inquietante imagem de um conjunto de pessoas (um grupo? uma cabal de cientistas? um exército? uma civilização inteira?) dedicadas à construção dessas Casas do Tempo retroativas, estabelecendo cabeças de ponte num século e paulatinamente ganhando acesso ao século anterior.

É interessante notar que os exemplos de "acidentes" dados no Manuscrito são quase todos do século XIX, o que indica talvez uma certa precariedade nas instalações que era possível construir na época. E ao citar um exemplo do século XVI, o Manuscrito usa a expressão *"tentativas de ir mais longe no passado"*, o que sugere uma expansão, por assim dizer, contra o fluxo natural do Tempo.

Parece ser uma atividade ainda tentativa, em que resultados negativos (até catastróficos) podem ser esperados, daí talvez a necessidade de "manuais de instruções" dessa natureza, que circulam... nas mãos de quem? Quem lia isso, além do Capitão Hillyer? Podemos concluir que se ele se deu o trabalho de imprimir as instruções elas deveriam se destinar a um número mais amplo de pessoas, ou se não, bastaria que fossem manuscritas.

É possível que o grande *breakthrough*, as descobertas cruciais a esse respeito venham a ser feitas quando da decifração final da Parte II do "Manuscrito".

Enquanto isto, Colin Stevenson nos abre perspectivas igualmente intrigantes com os textos (com numeração própria) da Parte IV. Mais uma vez, ele espicaça nossa curiosidade ao selecionar fragmentos interessantes e deixar nossa imaginação correr à solta com relação aos que foram omitidos.

Diz ele:

A Parte I V do Manuscrito Gaélico também consta de fragmentos numerados, mas o seu teor já não é mais (como na seção anterior) informativo, instrutivo, de ordem prática. Parecem ser fragmentos colhidos em diferentes lugares, e parecem servir de comentário ou ilustração ao projeto coletivo das Casas do Tempo (como prefiro usar, neste momento) ou das Bolhas do Tempo, conforme aparecem citadas aqui:

(...) 8

A forma de Deus é a forma do Todo. O cacho-de-bolhas de todos os universos possíveis aderidos uns aos outros. A Espuma é a imagem essencial do universo macro - não a Esfera.

(...) 11

A existência da Vida é a energia que infla exponencialmente a bolha de um universo físico. (Cujas dimensões são muito inferiores às que nossos instrumentos nos informavam, por distorção inevitável naquela época.) Os seres humanos são o ar que infla essa bolha, e nas condições adequadas (via instrumentos) podem passar de um para outro, como num salto quântico.

(...) 18

O mar é a régua do Tempo.

(...) 20

Um corpo humano (ou animal) não pode transpor esses limites de forma retilínea. O corpo humano não existe num universo cronológico, geométrico, aritmético, algébrico. O tempo dos seres vivos não é cronológico, geométrico, aritmético, algébrico. O tempo não é constante, não é uniforme. O tempo se expande e se contrai, como o mar. O tempo avança e recua por sua dinâmica interna, como o mar. O tempo ora se condensa, ora se rarefaz, como o mar.

Ao longo de todo o processo de decifração (pois há um tanto de decifração nisto tudo) e de tradução do gaélico para o inglês, os tradutores deste jornal foram capazes de localizar pelo menos duas alusões à cultura do século X X. Fica a dúvida sobre quantas referências ao resto do século 21 estão embutidas neste texto misterioso, e não podemos identificá-las porque se referem, talvez, a textos que não foram escritos ainda.

E na sequência, a matéria do jornal se encerra com estas duas citações:

(...) 21

O tempo é um oceano, mas ele acaba na praia.

Este é um verso de uma canção ("Oh, Sister", 1975) do compositor norte-americano Bob Dylan, Prêmio Nobel de Literatura.

O fragmento seguinte havia sido mutiladamente transposto do gaélico quando alguém o reconheceu como um trecho de um poema do português Fernando Pessoa (1888-1935), em seu livro Mensagem. O trecho diz:

(...) 26
A nau de um deles tinha-se perdido
no mar indefinido. O segundo pediu licença ao Rei
de, na fé e na lei
da descoberta, ir em procura
do irmão no mar sem fim e a névoa escura.
Tempo foi. Nem primeiro nem segundo
volveu do fim profundo
do mar ignoto à pátria por quem dera
o enigma que fizera.
Então o terceiro a El-Rei rogou
licença de os buscar, e El-Rei negou.

A inserção destes fragmentos "modernos" num manuscrito dessa natureza é mais um indício, talvez, de que fosse o Capitão Hillyer o autor do texto, e que inserisse nele elementos ilustrativos que faziam parte de suas referências culturais.

O artigo de Colin Stevenson se encerra apontando alguns elementos que podem ou não ser significativos no processo de tradução e interpretação do "Manuscrito Gaélico". Um deles é a importância atribuída a Portugal através da riqueza de exemplos citados, o que talvez se deva ao fato de o Capitão ter morado no país durante alguns anos e ter familiaridade com o idioma. Outro é de natureza geográfica, pelo alinhamento bastante significativo entre os faróis citados como exemplos, uma vez que tanto a costa de Portugal quanto as Hébridas se situam entre os mesmos meridianos.

O caso do "Manuscrito Gaélico" parece estar se tornando um daqueles mistérios em que uma pequena ponta sólida aparece à superfície da terra, e quando alguém a escava imaginando achar a unha de um animal, desenterra dali um esqueleto completo. Só nos resta aguardar.

FIM

A linha do tempo de algumas viagens pelo tempo

1900 · 1950 · 1960

Um Conto de Natal,
de Charles Dickens
1843, Romance

O Relógio que Voltou Atrás,
de Edward Page Mitchell
1881, Romance

O Navio do Tempo,
de Enrique Gaspar
1887, Romance

Sylvie e Bruno,
de Lewis Carroll
1889, Romance

Um Americano na Corte do Rei Artur,
de Mark Twain
1889, Romance

A Máquina do Tempo,
de H. G. Wells
1895, Romance

A Legião do Tempo,
de Jack Williamson
1938, Romance

"Ontem Foi Segunda-Feira",
de Theodore Sturgeon
1941, Conto

"O Armário do Tempo",
de Henry Kuttner
1943, Conto

"A Seta do Tempo",
de Arthur C. Clarke
1950, Conto

"Estou com Medo",
de Jack Finney
1951, Conto

O Som do Trovão,
de Ray Bradbury
1952, Romance

"A Nave da Morte",
de Richard Matheson
1953, Conto

"Adjustment Team",
de Philip K. Dick
1954, Conto

O Fim da Eternidade,
de Isaac Asimov
1955, Romance

"O Homem que Chegou Cedo",
de Poul Anderson
1956, Conto

"Tente e Mude o Passado",
de Fritz Leiber
1958, Conto

2000 · 2010

Bill e Ted,
de Peter Hewitt
1991, Filme

Outlander,
de Diana Gabaldon
1991, Romance

A Máquina de Lorde Kelvin,
de James Blaylock
1992, Romance

Feitiço do Tempo,
de Harold Ramis
1993, Filme

Stargate,
de Rolan Emmerich

Os 12 Macacos,
de Terry Gilliam
1996, Filme

Conceiving Ada,
de Lynn Hershman Leeson
1997, Filme

Linha do Tempo,
de Michael Crichton
1999, Romance

Intempol,
de Octavio Aragão
2000, Antologia

Donnie Darko,
de Richard Kelly
2001, Filme

A Mulher do Viajante no Tempo,
de Audrey Niffenegger
2003, Romance

Déjà Vu,
de Tony Scott
2004, Filme

Primer,
de Shane Carruth
2004, Filme

O Som do Trovão,
de Peter Hyams
2005, Filme

Crimes Temporais,
de Nacho Vigalondo
2007, Filme

Braid,
de Mitzi Peirone
2008, Filme

Blackout,
de Connie Willis
2010, Romance

1970 · 1980 · 1990

"Rainbird",
de R. A. Lafferty
1961, *Conto*

Doctor Who,
de Sydney Newman,
Donald Wilson e
C. E. Webber
1963, *Série Televisiva*

O Planeta dos Macacos,
de Pierre Boulle,
1963, *Romance*;
de Franklin J. Schaffner
1968, *Filme*

Star Trek,
de Gene Roddenberry
1966, *Série Televisiva*

Matadouro 5,
de Kurt Vonnegut
1969, *Romance*

"Leviatã!", de Larry Niven
1970, *Conto*

Em Algum Lugar do Passado,
de Richard Matheson,
1975, *Romance*;
de Jannot Szwarc,
1980, *Filme*

As Aventuras de Alyx,
de Joanna Russ
1976, *Romance*

Uma Mulher à Beira do Tempo,
de Marge Piercy
1976, *Romance*

O Guia do Mochileiro das Galáxias,
de Douglas Adams
1978, *Romance*

Morlock Night,
de K. W. Jeter
1979, *Romance*

Kindred: Laços de Sangue,
de Octavia E. Butler
1979, *Romance*

Um Século em 43 Minutos,
de Nicholas Meyer
1979, *Filme*

X-Men - Dias de
um Futuro Esquecido,
de Chris Claremont
e John Byrne
1981, *HQ*

Os Portões de Anúbis,
de Tim Powers
1983, *Romance*

Operação Cavalo de Troia,
de J. J. Benítez
1984, *Romance*

O Exterminador do Futuro,
de James Cameron
1984, *Filme*

De Volta para o Futuro,
de Robert Zemeckis
1985, *Filme*

"Rumo a Bizâncio",
de Robert Silverberg
1985, *Conto*

Hyperium,
de Dan Simmons
1989, *Romance*

2020

Novembro de 63,
de Stephen King
2011, *Romance*

The Adjustment Bureau,
de George Nolfi
2011, *Filme*

Chronos,
de Rysa Walker
2012, *Romance*

Vortex,
de Julie Cross
2012, *Romance*

Questão de Tempo,
de Richard Curtis
2013, *Filme*

Iluminadas,
de Lauren Beukes
2013, *Romance*

O Predestinado,
de Peter Spierig
e Michael Spierig
2014, *Filme*

As Primeiras Quinze
Vidas de Harry August,
de Catherine Webb
2014, *Romance*

No Limite do Amanhã,
de Doug Liman
2014, *Filme*

O Almanaque da
Viagem do Tempo,
de Anne e Jeff VanderMeer
2014, *Antologia*

O Ministério do Tempo,
de Pablo Olivares
e Javier Olivares
2015, *Série Televisiva*

Paciência,
de Daniel Clowes
2016, *HQ*

Matéria Escura,
de Blake Crouch
2016, *Romance*

30 e Poucos Anos e
uma Máquina do Tempo,
de Mo Daviau
2016, *Romance*

Dark,
de Baran bo Odar
e Jantje Friese
2017, *Série Televisiva*

Sombra Lunar,
de Jim Mickle
2019, *Filme*

A Gente se Vê Ontem,
de Stefon Bristol
2019, *Série Televisiva*

Palm Springs,
de Max Barbakow
2020, *Filme*

BIOGRAFIA DOS
EXPLORADORES
TEMPORAIS

HERBERT GEORGE WELLS, o inventor de *A Máquina do Tempo*, nasceu em Londres em 21 de setembro de 1866. Filho de um comerciante falido e de uma empregada da nobreza, Wells passou a infância entre os livros dos patrões de sua mãe e os sonhos de um futuro de grandes realizações e profundas mudanças sociais. Em 1883, tornou-se professor e então acadêmico, com bolsa de estudos, na Escola Normal de Ciências em Londres. Em 1895, depois de casar-se duas vezes, tornou-se escritor publicando seu primeiro romance, *A Máquina do Tempo*. O sucesso desse empreendimento garantiu-lhe a publicação de outras obras que se tornariam célebres, como *A Ilha do doutor Moreau* (1896), *Uma história dos tempos futuros* (1897), *O homem invisível* (1897), *A guerra dos mundos* (1898) e *Os primeiros homens na lua* (1901). Nos anos seguintes, sua profícua produção gradativamente daria lugar a textos e ações de engajamento social, tanto criticando a Primeira Guerra Mundial quanto defendendo a igualdade entre os povos. Em 1920, o seu ambicioso *História Universal*, um tomo de não ficção que objetiva a educação dos menos favorecidos, lhe granjearam ainda mais renome e estabilidade financeira. Tendo sobrevivido a duas guerras mundiais e aos profundos conflitos sociais da primeira metade do século XX, veio a morrer onde nasceu, na cidade de Londres, em 13 de agosto de 1946. Até hoje se cogita se ele não viveu bem mais do que seus oitenta anos, afinal poucos homens tinham ao seu dispor uma máquina de exploração temporal.

ENÉIAS TAVARES, o organizador deste *A Máquina do Tempo*, é professor de literatura na UFSM, escritor e sonhador. De ficção publicou os romances *A Lição de Anatomia do Temível Dr. Louison* (Leya, 2014) e *Juca Pirama Marcado para Morrer* (Jambô, 2019), além de *Guanabara Real: A Alcova da Morte* (Avec, 2017) em coautoria com AZ Cordenonsi e Nikelen Witter. Em 2020, a série *live action* roteirizada por ele, *A Todo Vapor!*, estreou na Amazon Prime Video e sua *graphic novel* em parceria com Fred Rubim, *O Matrimônio do Céu & Inferno* (AVEC, 2019), foi lançada nos EUA pela Behemoth Comics. O romance transmídia *Parthenon Místico* (DarkSide Books, 2020) integra o universo de *Brasiliana Steampunk*. Desde criança, sonha em viajar no tempo. Mais de sua produção em eneiastavares.com.br. Twitter/Instagram: @eneias_tavares

JANA BIANCHI, a tradutora de *A Máquina do Tempo*, é escritora, editora na revista *Mafagafo* e uma das apresentadoras do podcast Curta Ficção. Em português, além da novela *Lobo de rua* (2016), publicou contos em revistas e coletâneas. Em inglês, tem ou terá textos publicados nas revistas *Strange Horizons*, *Clarkesworld* e *Fireside*. É aluna da turma de 2021 do workshop de escrita Clarion West. Jana mora no interior de São Paulo com os pais, duas cachorras e suas tatuagens animadas. Pode ser encontrada em janabianchi. com.br e no *Twitter* e *Instagram* como @janapbianchi

PEDRO FRANZ, o ilustrador de *A Máquina do Tempo*, viaja no tempo desde o seu nascimento em Florianópolis, em 1983. Publicou diversas HQS, entre elas *Incidente em Tunguska* (2016) e *Cavalos Mortos Permanecem no Acostamento* (2014). Vem participando de exposições e suas histórias e ilustrações apareceram em diversas publicações no Brasil e no exterior. Saiba mais de sua produção em pedrofranz.com.br.

ALINE VALEK é escritora, ilustradora, podcaster e usa a memória e a ficção como formas de viajar no tempo. Autora dos romances *As águas-vivas não sabem de si* e *Cidades afundam em dias normais*, publicados pela Rocco, e dos independentes *Pequenas Tiranias*, *Hipersonia Crônica*, *Bobagens Imperdíveis para ler numa manhã de sábado* e *Bobagens Imperdíveis para atravessar o isolamento*. Além de newsletters, zines e livros, também conta histórias no podcast Bobagens Imperdíveis. Conheça mais em alinevalek.com.br

FELIPE CASTILHO é escritor e roteirista. É autor da série *O Legado Folclórico* (Gutenberg), composta pelos livros *Ouro, Fogo & Megabytes* (2012), *Prata, Terra & Lua Cheia* (2013) e *Ferro, Água & Escuridão* (2015). Ainda nos livros, escreveu *Ordem Vermelha - Filhos da Degradação* (Intrínseca, 2017) e o thriller *Serpentário* (Intrínseca, 2019), obra finalista do Prêmio Jabuti e que teve os direitos adquiridos para produção audiovisual pela Boutique Filmes. Roteirizou a história em quadrinhos *Desafiadores do Destino* (AVEC Editora, 2018), criada em parceria com os artistas Mauro Fodra e Mariane Gusmão. Também roteirizou *Savana de Pedra* e *O Horror de Dunwich* (Editora de Cultura), adaptação do conto de H.P. Lovecraft com arte de Fred Rubim. Atualmente, Felipe vive na São Paulo de uma linha temporal onde a Rede Manchete nunca foi vendida — e em consequência disso o Brasil se tornou uma potência econômica. *Twitter/Instagram*: @felcastilho

ANA RÜSCHE é escritora e pesquisadora, sendo doutora em Letras, pela FFLCH-USP, com a tese *Utopia, feminismo e resignação em The Left Hand of Darkness (de Ursula Le Guin) e The Handmaid's Tale (de Margaret Atwood)*. Publicou livros de poesia, como *Nós que adoramos um documentário* (Ourivesaria da Palavra, 2010) e *Furiosa* (ed. autora, 2016). Seu primeiro livro, *Rasgada* (2005), foi publicado no México pela Limón Partido (2007) e *Furiosa* recebeu uma edição em inglês (2017). Seus últimos livros são *Do amor — o dia em que Rimbaud decidiu vender armas* (Quelônio, 2018) e *A telepatia são os outros* (Monomito, 2019), vencedor do Odisseia de Literatura Fantástica. Se pudesse viajar ao passado, gostaria de assegurar para si mesma que tudo vai ficar bem. anarusche.com

BRAULIO TAVARES nasceu em Campina Grande (PB) em 1950, e mora no Rio de Janeiro desde 1982. Publicou vários livros de contos em que a ficção científica e o fantástico aparecem com destaque (*A Espinha Dorsal da Memória*, 1989; *Mundo Fantasmo*, 1996; *Histórias para Lembrar Dormindo*, 2013; *Sete Monstros Brasileiros*, 2014; *Fanfic*, 2019), além de ensaios sobre o mesmo tema (*O que é ficção científica*, 1986; *O Anjo Exterminador*, 2002; *O Rasgão no Real*, 2005; *A Pulp Fiction de Guimarães Rosa*, 2008). Também organizou várias antologias. Mantém há anos o blog "Mundo Fantasmo", onde defende a teoria de que o Tempo é um movimento helicoidal que pode ser percebido tanto como um ciclo quanto como uma seta.

"Tell me I'm not dreaming
But are we out of time?
We're out of time"
— BLUR —

DARKSIDEBOOKS.COM

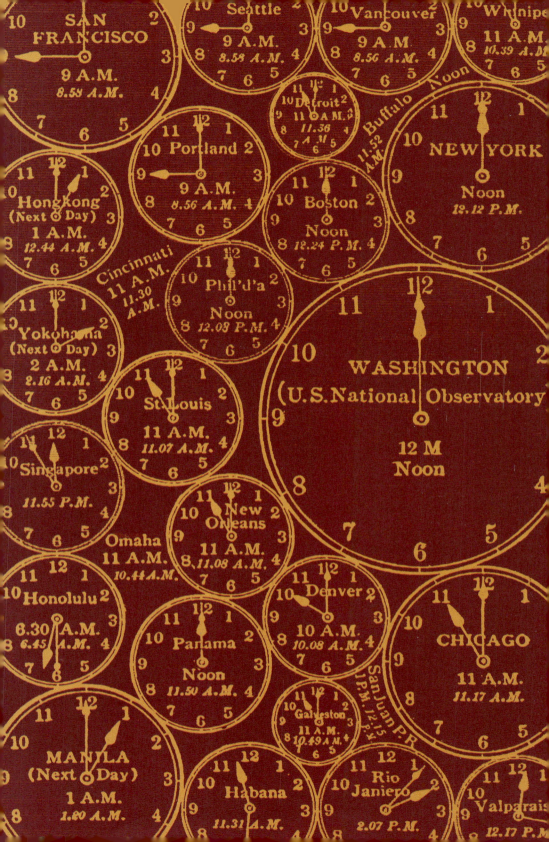